2026年度版

地方公務員

寺本康之の

超約ゼミ

ちょう　やく

高卒・社会人試験

過去問題集

寺本康之 / 松尾敦基　著

ちょう‐やく【超約】

1 必要な知識が超コンパクトに要約されていること。

2 超厳選された頻出テーマが1冊に集約されているさま。

「──を読んでいたら、過去問も解けた。これで合格できそうだ」

実務教育出版

目次

地方公務員
寺本康之の超約ゼミ
高卒・社会人試験 過去問題集

社会科学

人文科学

🍭 自然科学

🍭 一般知能

本書の構成と使い方

構成
知識のインプットと問題演習でのアウトプットが1冊でできます。
各章内のテーマは「よく出る順」に配列しています。

超約 ここだけ押さえよう！

テキストページ まずは知識のインプットをします。

各科目の重要テーマを3つにしぼって掲載

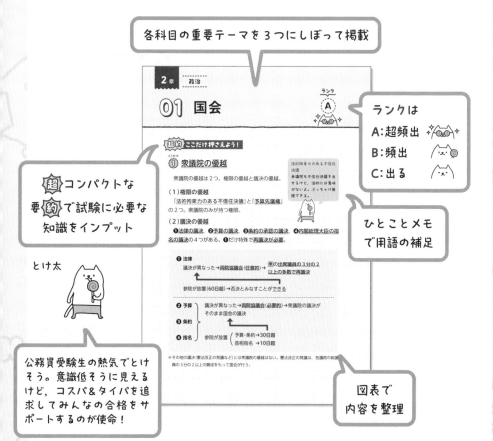

ランクは
A：超頻出
B：頻出
C：出る

超コンパクトな**要約**で試験に必要な知識をインプット

ひとことメモで用語の補足

とけ太

公務員受験生の熱気でとけそう。意識低そうに見えるけど、コスパ＆タイパを追求してみんなの合格をサポートするのが使命！

図表で内容を整理

厳選問題

過去問ページ

次に実際に出た問題を解きます。

以下の試験で出題された問題を掲載しています。

> 問題演習で
> 知識を定着

平成24年度～令和４年度実施
- 地方初級：地方公務員採用初級試験（道府県・政令指定都市・市役所・消防官）
- 東京都：東京都職員Ⅲ類採用試験
- 特別区：特別区（東京23区）職員Ⅲ類採用試験
- 国家一般職：国家公務員採用一般職試験（高卒者試験）

東京都，特別区，国家一般職は公表された問題を掲載しています。それ以外の問題は，受験生から得た情報をもとに実務教育出版が独自に編集し，復元したものです。また，公開された問題であっても用字用語の統一を行っています。

解説

解説ページ

最後に知識の再確認をします。

> 正答と解説
> をチェック

もう1点GET
+α

> プラスして
> 覚えてほしい
> 知識

①問①答

> 最後に１問１答に
> チャレンジ

効果的な使い方

 ## 学習スタート期

学習を始めたばかりの時期には，こんな使い方ができます。

> → 公務員試験で出る科目を知る　→ 苦手科目を見つける
> → 出題形式に慣れる

1週間完成！

学習モデル ＜学習スタート期＞						
月	火	水	木	金	土	日
1〜3章の学習	4〜7章の学習	8〜12章の学習	13章と16章の学習	14章の学習	15章の学習	総復習

 ## 試験直前期

試験まで時間がないときには，こんな使い方ができます。

> → 総復習として　　　　　　　→ 問題だけを集中して解く
> → 最後の追い込みに

1週間完成！

学習モデル ＜試験直前期＞						
月	火	水	木	金	土	日
1〜3章の学習（1回目）	4〜12章の学習（1回目）	13〜16章の学習（1回目）	1〜3章の学習（2回目）	4〜12章の学習（2回目）	13〜16章の学習（2回目）	試験日

地方公務員試験ガイダンス

🍭 地方公務員とは

地方公共団体の種類／職種と試験区分／

部門／組織

🍭 試験概要

受験資格／試験の流れと内容／

地方初級試験／社会人試験

🍭 合格するには

競争率／目標点数／併願／SPI3, SCOA／

試験の時期

地方公務員とは ✏

地方公共団体で働く公務員のこと。同じ事務系職種でも勤務する地方公共団体や組織によって携わる業務が異なる。

地方公共団体の種類

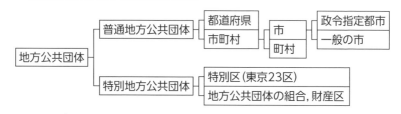

職種と試験区分

職種	試験区分
事務系職種	・行政，行政事務など ・公立学校に勤務する「学校事務」，警察署などに勤務する「警察事務」といった区分を設けている自治体もある
技術系職種	・土木，建築，電気，機械，化学，農業・農学など ・採用後は専門分野の関連部署に配属される
資格免許系職種	・保健師，看護師，臨床検査技師，診療放射線技師，管理栄養士，栄養士，幼稚園教諭，保育士など ・資格や免許が必要な業務に就く
公安系職種	・警察官，消防官（消防職） ・警察官は都道府県の職員，消防官は市役所や消防組合の職員になる（東京消防庁は稲城市と島しょ部を除く東京都全域を管轄する）

大卒程度（上級），短大卒程度（中級），高卒程度（初級）と分けて募集がかかることも多い。

部門

※特定の都道府県ではなく，一般的なモデルです。

部門	業務内容
総務部	予算の総括，人事・給与の管理，情報公開，広報活動など
企画部	総合計画の策定，大規模事業の推進など
福祉保健部	地域保険医療・地域福祉活動計画の推進，福祉の充実など
生活環境部	産業廃棄物処理対策，生活排水対策など
農政部	需要変化に対応した農業の推進など
水産林務部	漁業管理，漁港の整備，森林資源・林業基盤作りなど
商工労働部	産業・観光の振興，中小企業の経営支援，雇用対策など
土木部	治水事業・港湾整備事業の推進，道路網の整備など
建築都市部	土地区画整備事業・市街地再開発事業の推進など
企業局	臨海用地の管理，電気事業・工業用水事業の経営など
教育庁	教育文化活動の支援など

市町村には「消防」「清掃」「市営交通」といった部門がある場合も多い。

組織

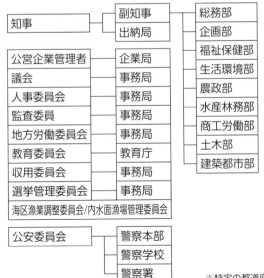

※特定の都道府県ではなく，一般的なモデルです。

9

試験概要 🖊

🐱 受験資格

　公務員試験は受験の要件を満たせば，学歴など関係なく，誰でも受けることができる。受験料も一部の自治体以外は無料。

主な受験要件	
年齢	自治体によって，上限は異なる。なかには59歳でも受験可能なところもある
学歴	「高卒程度」「短大卒程度」の試験区分名でも，「その学歴相当の学力を必要とする試験」を意味している場合が多い。ただし，ごく一部の試験では卒業や卒業見込みを要件にしている
専攻	専攻が要件になることはまれ。技術系職種や専門職では，業務内容と関連した専攻を要件にしている場合もある
資格・免許	資格免許系職種では，資格や免許を取得（または取得見込み）していることが要件となる。語学等の資格があれば加点されることもある
住所	受験時点ではどこに住んでいてもよい。採用後に「市内に居住または一定時間内に通勤が可能なこと」が求められる自治体もある
身体	消防官などの公安系職種では一定の基準が設けられている場合がある
職歴	受験年齢の上限以下ならば，新卒，既卒を問われることはない。経験者対象の試験では要件に含まれていることが多い

🐱 試験の流れと内容

　下のようなプロセスが多い。

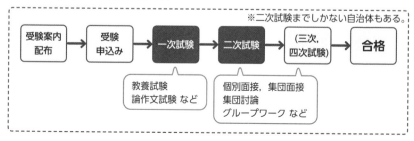

🖊 教養試験

五肢択一式のマークシート。主に以下の科目が出題される。

出題分野		出題科目・出題内容
一般知能分野 (公務員試験 特有の科目)	文章理解	英文，現代文，古文，漢文
	判断推理	集合，命題，対応関係，発言推理，空間把握など
	数的推理	覆面算，魔方陣，面積，確率など
	資料解釈	数表，グラフなど
一般知識分野 (高校までに 学んだ科目)	社会科学	政治，経済，社会(時事を含む)
	人文科学	日本史，世界史，地理，倫理，文学・芸術，国語
	自然科学	数学，物理，化学，生物，地学

※自治体によっては教養試験を行わず，SPI3やSCOAを導入しているところもある。

🖊 論作文試験

　課題は公務員像や職務に関すること，社会的問題などで，自治体によって大きく異なる。高卒程度試験の場合は700～900字程度を約1時間で書かせる場合が多い。
　社会人試験ではこれまでの職歴と関連した内容が聞かれる傾向にある。

🖊 面接試験

　個別面接の場合も集団面接の場合もある。また，その両方や複数回実施されることもある。近年では人物重視の傾向が強まっており，ますます比重が高まっている。社会人試験では集団討論，グループワーク，プレゼンテーションが課される場合もある。

🖊 その他の試験

　適性検査(性格検査)が課される場合がある。

地方初級試験 ✏

〈都道府県・政令指定都市・特別区・その他の市〉

　地方初級試験とは地方公務員採用試験の中で，高校程度の知識，能力が問われるものをさす。試験は自治体ごとのため，実施する自治体により，詳細が異なる。

都道府県・政令指定都市・特別区の試験

試験の名称		・高校卒業程度試験，初級試験，Ⅲ類試験，B試験など自治体によってさまざま
試験の概要	申込み	・7月上旬以降に受験案内の配布を開始する自治体が多い ・申込み方法はインターネット，郵送，持参など。受験案内で指定されている
	一次試験	・9月の同一日に実施する自治体が多い ・教養試験，適性試験，論作文試験など。自治体によって試験内容に差異がある
	二次・三次試験	・10月中旬～下旬に実施される場合が多い ・個別面接，集団面接，プレゼンテーションなどの人物試験が中心
	合格発表	・11月中旬になる場合が多い。特別区の場合は最終合格後に各区の採用面接がある

市役所試験

政令指定都市以外の市の採用試験について説明する。自治体の規模により，毎年募集があるとは限らない。

試験の名称		・高卒程度など区分を分けているところもあるが，そのような試験区分がないところや，高卒程度(初級)という名称で高卒から大卒までを対象としている場合もある
試験の概要	**申込み**	・9月に試験を行う場合は7月下旬～8月中旬頃が申込締切になる。申込期間が短い場合もあるので注意が必要 ・申込方法はインターネット，郵送，持参など。受験案内で指定されている
	一次試験	・9月の第3日曜日に実施する自治体が多い。そのほかにも10月に実施する自治体もある ・教養試験，適性試験，論作文試験など。自治体によって試験内容に差異がある
	二次・三次試験	・個別面接，集団面接，プレゼンテーションなどの人物試験が中心 ・作文試験，適性検査(性格検査)を実施する自治体もある
	合格発表	・二次/三次試験の約2週間後～1ヶ月後に発表になる。多くの場合，最終合格＝採用内定と考えてよい

社会人試験とは 🖊

🐱 社会人が公務員になるには

社会人が公務員になるには大きく2つのルートが考えられる。
❶一般枠の採用試験(新卒も受けられる試験)
❷社会人経験者対象の採用試験
ここでは❷について説明する。

🖊 社会人経験者対象の採用試験

　民間企業での経験や実績を考慮した選考。教養試験や専門試験の比重が小さかったり，専門試験がなかったりする場合が多い。その代わり，エントリーシートや論文試験，面接試験が重視されている。

　必ずしもすべての自治体で毎年採用があるわけではないので，気になる自治体のホームページを定期的にチェックして，募集を見つける。

🐱 社会人試験の受験資格

　一般枠の受験要件に加えて，職務経験年数を指定している場合が多い。「職務経験が5年以上」「1社で連続して5年以上」「直近の7年中5年以上」など条件は自治体によって異なる。なかには職歴を問わない自治体もある。なお，年齢要件は一般枠よりも高く設定されている。

社会人試験の内容

「教養試験」「論文試験」「面接試験」が中心である。「専門試験」が課されることは少ない。

試験種目	内容
教養試験	・一般枠と同等かやや易しいレベル
論文試験	・一般枠で課されるようなテーマ以外にも，経験に基づいた内容を求められることがある 一般課題論文：行政問題，社会問題に関するものが多い。文章表現や論理性に加え，公務員としてふさわしい問題意識や認識を持っていることがポイントになる 職務経験論文：民間企業等での職務経験内容や実績について記述する。公務員として前職の経験とどのように活かすかが問われる
面接試験	・重要度が極めて高い ・志望動機，前職を辞める/辞めた理由，前職での経験を公務員としてどう活かすかなどがよく聞かれる

合格するには

競争率

　受験者数は年々減少しているが，合格者数はほぼ変わらない。そのため，競争率も下がってきている。自治体にもよるが，10倍以上になることは少ない。

　また，競争率の高さは試験の難しさに直結しない。採用人数の少ない自治体，SPI3・SCOAなどで受験できる試験は倍率が高く見える傾向がある。

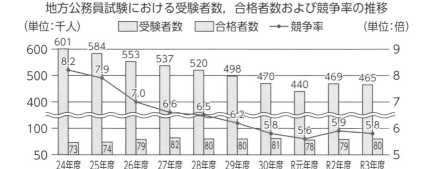

地方公務員試験における受験者数，合格者数および競争率の推移

「令和３年度地方公共団体の勤務条件等に関する調査結果」総務省より

(注)本表における「競争率」は，受験者数/合格者数により算出している。

目標点数

　教養試験は，おおよそ6～7割正答できれば，合格できるといわれる。試験や区分によってはそれ以下でも通過できる場合があるが，自治体によっては各試験に基準点（下限の点数）が設けられており，基準点未満の試験種目が1つでもあると不合格になる。この基準点は教養試験だけではなく，作文試験にも設けられていることがある。

併願

　日程が重ならなければ，併願は可能である。むしろ，志望先を一つに絞っている場合は少なく，国家公務員や都道府県と市役所（政令指定都市以外）・特別区を併願している人が多い。

併願の例　　※日程は令和5年度の筆記試験

日程	試験名
9月3日	国家一般職（高卒）
9月10日	東京都Ⅲ類
9月17日	○○市
9月24日	●●県

SPI3，SCOA

　民間就職で実施されている「SPI3（基礎能力検査）」や「SCOA（基礎能力）」を教養試験の代わりに導入している自治体もある。

従来の教養試験との違い

	従来の教養試験	SPI3	SCOA
試験時間	120分	70分	60分
問題数	40問	70問	120問
試験内容	一般知識分野，一般知能分野	言語能力検査，非言語能力検査	言語，数理，論理，常識，英語
試験形式	五肢択一式	選択式，入力式	選択式，入力式
実施場所	会場	テストセンター，Web，会場	テストセンター，Web，会場

※試験時間，問題数，試験内容はペーパーテストの場合。

※試験時間，問題数，試験内容はSCOA-Aの場合。

🐱 試験の時期

　代表的な日程は以下のとおりである。自治体によっては三次試験まで課すところもある。

	府県 ※北海道、大阪府、愛知県は例年別日程	東京都Ⅲ類	特別区Ⅲ類	市役所				
				政令指定都市	A日程 比較的大きな市に見られる	B日程	C日程	D日程
6月					一次試験			
7月					二次試験	一次試験		
8月						二次試験		
9月	一次試験	一次試験	一次試験	一次試験			一次試験	
10月	二次試験	二次試験		二次試験			二次試験	一次試験 二次試験
11月			二次試験					
12月								

※市役所のＡ～Ｄ日程は、主に大卒試験
　および社会人対象試験の日程を掲載し
　ています。

テキスト&問題演習

🍭 社会科学

🍭 人文科学

🍭 自然科学

🍭 一般知能

01 国会

超約 ここだけ押さえよう！

ここだけ ① 衆議院の優越

衆議院の優越は2つ。権限の優越と議決の優越。

> 法的拘束力のある不信任決議
> 参議院も不信任決議を出せるけど，法的には意味がないよ。ぶっちゃけ無視できる。

（1）権限の優越

「法的拘束力のある不信任決議」と「予算先議権」の2つ。衆議院のみが持つ権限。

（2）議決の優越

❶法律の議決，❷予算の議決，❸条約の承認の議決，❹内閣総理大臣の指名の議決の4つがある。❶だけ特殊で再議決が必要。

❶ **法律**
　議決が異なった→**両院協議会（任意的）**→衆議院の出席議員の3分の2以上の多数で再議決

　参院が放置（60日超）→否決とみなすことが**できる**

---

❷ **予算**
❸ **条約**
　議決が異なった→**両院協議会（必要的）**→衆議院の議決がそのまま国会の議決

❹ **指名**
　参院が放置（予算・条約→30日超／首相指名→10日超）

※その他の議決（憲法改正の発議など）には衆議院の優越はない。憲法改正の発議は，各議院の総議員の3分の2以上の賛成をもって国会が行う。

② 国会議員の特権

ここだけ

不逮捕特権	● 国会議員は，法律の定める場合を除いて，国会の**会期中**は逮捕されない ● 会期前に逮捕された議員は，議院の要求があれば，会期中は釈放しなければならない
免責特権	● 国会議員は，議院で行った演説，討論または表決について，**院外**で責任を問われない
歳費受領権	● 歳費は法律で決まっている→法律を変えれば減額可能

会期中
あくまでも「会期中」だけだから注意しようね。

院外
院内における懲罰はあるから注意しよう。

③ 国会の会期

ここだけ

衆議院の解散
衆議院が解散されると，参議院も同時に閉会となるよ。

	通常国会（常会）	臨時国会（臨時会）	特別国会（特別会）
召集原因	毎年1月中に召集される	❶内閣が必要とするとき→召集は任意 ❷いずれかの議院の総議員の4分の1以上の要求があるとき→召集は義務	**衆議院の解散**の日から40日以内に総選挙を行い，総選挙の日から30日以内に召集される ※ この間に緊急事態が起こった場合は**参議院の緊急集会**を**内閣**が求めることができる
会期	150日	両議院の一致で決定	両議院の一致で決定
会期の延長	1回だけ可	2回まで可	2回まで可

わが国の国会に関する記述として，妥当なのはどれか。【特別区】

1 通常国会は，毎年1回，1月に召集され，会期は150日間で，次年度予算などを審議するが，会期延長は認められない。

2 新たな内閣総理大臣の指名を行う特別国会は，衆議院解散の日から30日以内に召集しなければならない。

3 参議院の緊急集会は，衆議院の解散中，国に緊急の必要が生じたときに，参議院議長の求めにより開かれ，その議決は，次の国会開会後10日以内に衆議院の同意が得られなければ，その効力を失う。

4 衆議院には，国政調査権が認められており，必要に応じて証人喚問を行うことができるが，参議院にはこの調査権は認められていない。

5 国会議員には，法律の定める場合を除いては国会の会期中に逮捕されない不逮捕特権や，議院内で行った発言や表決について，院外でその責任を問われない免責特権が認められている。

解説 正答 **5**

❶ × 会期延長は1回だけできる。

❷ × 特別国会は，衆議院総選挙の日から30日以内に召集される。

❸ × 参議院の緊急集会を求めるのは「内閣」である。

❹ × 国政調査権は「両議院」の権能である。もちろん参議院にも認められる。

❺ ○ そのとおり。国会議員には，不逮捕特権や免責特権が認められる。

もう1点GET +α 国会の権限と議院の権限

国会の権限

❶ 法律の制定

❷ **憲法改正の発議**

❸ **条約の承認** →条約の締結は内閣の権限

❹ **内閣総理大臣の指名**

❺ **弾劾裁判所の設置**

議院の権限

❶ **国政調査権**

❷ 議員懲罰権(院内における懲罰)

❸ 規則制定権

1問1答

国会の権限はどれか。
Ⓐ 外交関係の処理を行い，条約を締結すること。
Ⓑ 天皇の国事行為に関する助言と承認を行うこと。
Ⓒ 国務大臣を罷免すること。
Ⓓ 罷免の訴追を受けた裁判官を裁判する弾劾裁判所を設置すること。
Ⓔ 憲法改正の発議をすること。

正解 D，E(A，Bは内閣，Cは内閣総理大臣の権限)

02 基本的人権

ランク
Ⓐ

超約 ここだけ押さえよう！

① 人権の種類

人権は，原則として「**公共の福祉**」によって制約される。種類は次のとおり。

平等権		すべて国民は，法の下に平等であって，人種，信条，性別，社会的身分または門地により，差別されない
自由権	精神的自由権	思想・良心の自由（絶対的保障），信教の自由（信仰の自由は絶対的保障，**政教分離**含む），**表現の自由**（**検閲の禁止**，集会結社の自由，通信の秘密含む），学問の自由（研究・発表・教授の自由を保障）
	経済的自由権	職業選択の自由（営業の自由含む），居住・移転の自由，外国移住・国籍離脱の自由，財産権（私有財産制と個別的な財産権の保障）
	人身の自由	**奴隷的拘束および苦役からの自由**，法定手続の保障，**令状主義**，弁護人依頼権，自己負罪拒否特権（黙秘権），自白法則，補強法則，遡及処罰の禁止，二重の危険の禁止など
社会権		**生存権**（健康で文化的な最低限度の生活を保障，社会福祉や社会保障などの向上については努力義務）
		教育を受ける権利（能力に応じて，等しく教育を受ける権利を保障，**義務教育の無償〈授業の無償〉**を保障）
		勤労権（勤労は義務でもある）

> **令状主義**
> 現行犯逮捕の場合は，令状は不要だよ。

> **社会権**
> 1919年にドイツの**ヴァイマル憲法**で初めて認められたよ。日本においては，日本国憲法で初めて盛り込まれたんだ。

	労働基本権(団結権，団体交渉権，団体行動権〈争議権〉の保障)
参政権	選挙権，被選挙権
国務請求権(受益権)	請願権，裁判を受ける権利，国家賠償請求権，刑事補償請求権

労働基本権
公務員は法律で
団体行動権(争議権)が一律全面禁止となっているよ。

ここだけ
② 法の下の平等に関する違憲判決

尊属殺重罰規定違憲判決 →尊属殺人が極端に重い	尊属の尊重報恩(そんちょうほうおん)という立法目的は合理的だが，加重の程度が極端すぎるので違憲
国籍法違憲判決 →非嫡出子の国籍取得が極端に制限されていた	立法目的は合理的だが，手段に合理的関連性がないので違憲
非嫡出子相続分差別違憲決定 →非嫡出子の相続分が不当に差別されていた	子を個人として尊重しなければならないので，違憲
再婚禁止規定違憲判決 →女性のみ再婚禁止期間6か月が設けられていた	父性の重複を回避するためなら，100日の再婚禁止期間で足りる。よって，100日超過部分は違憲(100日までの期間は合憲)

※ほかにも，投票価値の平等(一票の格差)について，衆議院選挙において，2度違憲判決が出たことがある。

ここだけ
③ 日本国憲法における三大義務

❶勤労の義務

❷納税の義務

❸教育を受けさせる義務

※大日本国憲法体制下における三大義務は，❶兵役の義務，❷納税の義務，❸教育の義務(教育勅語で規定)。

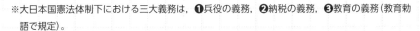

日本国憲法の条文とそれに該当する基本的人権の種類に関する次の記述のうち，妥当なのはどれか。　　　　　　　　　　【地方初級】

1　すべて国民は，健康で文化的な最低限度の生活を営む権利を有する。―自由権

2　何人も，いかなる奴隷的拘束も受けない。又，犯罪に因る処罰の場合を除いては，その意に反する苦役に服させられない。―社会権

3　公務員を選定し，及びこれを罷免することは，国民固有の権利である。―平等権

4　すべて国民は，法の下に平等であつて，人種，信条，性別，社会的身分又は門地により，政治的，経済的又は社会的関係において，差別されない。―参政権

5　何人も，裁判所において裁判を受ける権利を奪はれない。―請求権

(解説)　　　　　　　　　　　　　　　　　　正答 **5**

❶ × 本条文は「生存権」に関するものである。そして，生存権は「社会権」である。

❷ × 本条文は「奴隷的拘束および苦役からの自由」に関するものである。そして，奴隷的拘束および苦役からの自由は「自由権」である。

❸ × 本条文は「選挙権」に関するものである。そして，選挙権は「参政権」である。

❹ × 本条文は「法の下の平等」に関するものである。そして，法の下の平等は「平等権」である。

❺ ○ 本条文は「裁判を受ける権利」に関するものである。そして，裁判を受ける権利は「請求権」に該当する。「請求権」は国務請求権のこと。

もう1点GET +α 大日本帝国憲法と日本国憲法の違い

	大日本帝国憲法 (明治憲法)	日本国憲法
特質	● 天皇主権の欽定憲法 (**プロイセン憲法の影響**)	● 国民主権の民定憲法，硬性憲法
立法権	● 帝国議会は天皇の協賛機関 ● 貴族院 (**非民選**) と衆議院	● 衆議院と参議院の二院制 (**衆議院の優越あり**)
権利保障	● 法律の留保付きの臣民権としてあり。思想・良心の自由，学問の自由，社会権などはなし	● 人権としてあり (公共の福祉による制約あり)

 1問1答

日本国憲法には，自由権の一つとして学問の自由を保障する規定があるが，大日本帝国憲法では，明文で学問の自由を定めた規定が存在しなかった。

正解 ○ そのとおり。思想・良心の自由や社会権も存在しなかった。

03 国際関係

ランク Ａ

超約 ここだけ押さえよう！

① 国際連合

　1945年10月に第二次世界大戦の**戦勝国**で発足(51か国)。現在は**193か国**が加盟。未加盟は，バチカン市国やコソボなど。**日本は1956年に加盟**。

> 日本は1956年に加盟。ソ連との間で日ソ共同宣言を結んで国交を正常化したから，入れた感じだよ。

総会	● 全加盟国が参加 ● **一国一票の原則** ● 一般事項は過半数，重要事項は**3分の2以上**の賛成が必要
安全保障理事会	● 常任理事国(**米，英，仏，露，中**) 5か国と非常任理事国10か国(任期2年で総会によって選出)の計15か国 ● 手続き事項は15分の9以上の賛成，実質事項は常任理事国5か国をすべて含んだ15分の9以上の賛成が必要(5大国に**拒否権**あり)
経済社会理事会	● ILO(国際労働機関)やUNESCO(国際連合教育科学文化機関)など15の専門機関と連携
信託統治理事会	● 信託統治地域を監督・視察，独立を支援 ● 1994年にパラオが独立→歴史的任務を完了
国際司法裁判所(ICJ)	● **国家を裁く裁判所** ● オランダのハーグに置かれている ● **強制的管轄権がない**→当事国が同意しないと裁判が始まらない
事務局	● 事務総長は，**安全保障理事会の勧告に基づいて総会が任命**。任期は5年

> 国家を裁く
> 個人の重大犯罪を裁く裁判所としては，ローマ規程に基づく国際刑事裁判所(ICC)があるよ。

※PKO(国連平和維持活動)は，**国連憲章上の制度ではない**。俗に「6章半」の活動といわれる。平和維持軍(PKF)と監視団(停戦監視，選挙監視)の2つ。派遣には紛争当事国の受入れ同意が必要。日本は1992年にPKO協力法を作り，カンボジアに初めて自衛隊を派遣。

② 英米の政治制度
ここだけ

アメリカ（大統領制）	● 上院は州の代表で任期6年，2年ごとに3分の1ずつ改選（各州2名で定数100人） ● 下院は任期2年で定数435人。小選挙区制で選出（人口比例） ● 上院には**❶条約の批准権**（同意権）と**❷人事の同意権**あり ● 議会に**不信任決議権なし** ● 大統領に**議会の解散権なし，法案提出権なし**，ただ教書の送付（一般教書，予算教書）は可 ● **大統領に拒否権あり** ● 大統領は**間接選挙**で選出（三選禁止で2期8年まで）。議員との兼職不可 ● 大統領は法律や規則に違反すると**弾劾裁判で罷免**になる ● 違憲審査制あり。ただ憲法上の制度ではない（判例上の制度）
イギリス（議院内閣制）	● 不文憲法かつ軟性憲法の国 ● 上院（貴族院）は**非民選議員**（定数なし，任期なし，国王の任命制） ● 下院（庶民院）は小選挙区制で選出（定数650人） ● 下院優越の原則が「議会法」で確立 ● 下院は内閣不信任可。これに対して首相には**下院の解散権**あり。内閣に法案提出権あり ● 首相は**下院第一党党首がそのまま国王によって任命** ● 閣僚は**全員**国会議員でなければならない ● 下院は「影の内閣」を形成→次期政権担当を準備 ● 最高裁判所が2009年からできたが，違憲審査権なし

大統領に拒否権あり
大統領の拒否権は無敵ではないよ。上下両院の3分の2以上の再可決で乗り越えられてしまうんだ（オーバーライド）。

下院の解散権
首相の解散権を制限する議会任期固定法は，最近廃止されたよ。

国際連合に関する記述として，妥当なのはどれか。　【特別区】

1 国際連合は，平和原則14か条に基づき，国際社会の平和と安全の維持，諸国家間の友好関係の発展等を目的として，1920年に設立された。

2 総会は，全加盟国で構成され，投票権は一国一票制であり，一般事項については過半数により，重要事項については全会一致制により議決される。

3 安全保障理事会は，常任理事国と非常任理事国で構成され，手続き事項以外の実質事項については，常任理事国に拒否権が認められている。

4 信託統治理事会は，人権，国際経済や社会問題を扱う機関であり，国際労働機関（ILO）等と連携して国際協力活動を行っている。

5 事務局は，国際連合が決めた計画や政策の実施機関であり，事務総長は，総会の勧告に基づいて安全保障理事会が任命する。

解説

❶ × 国際連合は，1945年10月に設立された。アメリカ大統領ウィルソンの平和原則14か条に基づき，1920年に設立されたのは国際連盟である。

❷ × 重要事項については3分の2以上の多数により議決される。

❸ ○ そのとおり。常任理事国に拒否権が認められているのは，実質事項のみである。

❹ × 信託統治理事会は，信託統治地域を監督・視察，独立を支援する機関である。国際労働機関（ILO）等の専門機関と連携しているのは，経済社会理事会である。

❺ × 事務総長は，安全保障理事会の勧告に基づいて総会が任命する。

もう1点GET
+α 英米以外の政治体制

フランス （半大統領制）	● 大領領は国民の**直接選挙**で選ばれる →国民投票付託権や下院の解散権などの**強大な権限**を持つ ● 首相は慣例で下院多数党から大統領が任命する
ドイツ （議院内閣制）	● 大統領は**間接選挙**で選ばれる →権限が**形式的・儀礼的** ● **首相の権限が強い**（宰相民主主義）
中国 （権力集中制 〈民主集中制〉）	● 権力分立が不徹底 ● 全国人民代表大会（全人代）が最高機関（一院制）。全人代が国家主席，国務院総理，最高人民法院などの人事を掌握
ロシア （半大統領制）	● 大統領は国民の**直接選挙**で選ばれる→政治や軍事，外交などで**強大な権限**を握る

1問1答

フランスは，大統領と首相が併存する半大統領制をとる。議会が選出するフランスの大統領は，ロシアの大統領と異なり，政治的な実権を持っていない。

正解 ✕ フランスの大統領は国民の直接選挙で選ばれる。よって，政治的に強大な実権を握る。この点は，ロシアの大統領と類似している。

04 税

超約　ここだけ押さえよう！

① 財政民主主義と租税法律主義

> **憲法83条**　国の財政を処理する権限は，**国会の議決**に基いて，これを行使しなければならない。

　財政民主主義を定めた条文。政府が編成した予算は国会に提出され，国会の議決を経て，議決を受けた予算に従って，国の各省庁が支出する仕組みをさす。

> **憲法84条**　あらたに租税を課し，又は現行の租税を変更するには，**法律**又は法律の定める条件によることを必要とする。

　租税要件や課税手続を法律（または条例）で定めなければならない（**課税要件法定主義**）。また，課税要件等は明確に定めなければならない（**課税要件明確主義**）。

② 租税の歴史

1950	**シャウプ勧告**→直接税中心主義へ
1989	**竹下登内閣**のもと，消費税（3％）の導入
1997	橋本龍太郎内閣のもと，消費税が5％へ引上げ
2014 2019	安倍晋三内閣のもと，消費税が8％（2014年），10%（2019年）へ引上げ →消費税が10%となったときに**商品の一部**を据え置きの8％とする軽減税率が導入された

> 商品の一部に軽減税率が適用されるのは，飲食料品（酒類と外食を除く），週2回以上発行される定期購読の新聞だよ。

※国の租税収入は多い順に，消費税，所得税，法人税となっている。なお，消費税には，低所得者ほど所得に対する税負担の割合が高くなるという「逆進性」の問題がある。

③ 租税の種類

- 直接税:税金を納める義務のある人(納税者)と，税金を負担する人(担税者)が**同じ**である税金。
- 間接税:税金を納める義務のある人(納税者)と，税金を負担する人(担税者)が**異なる**税金

	直接税		間接税	
国税	所得税，法人税，相続税，贈与税など		消費税，酒税，揮発油税，たばこ税，関税，印紙税など	
	所得税 所得税，相続税，贈与税は累進課税になっているよ。課税金額が多くなるほど税率が上がるんだよ。		消費税 消費税7.8％＋地方消費税2.2％＝10％だよ。また，10％に引き上げられると同時に,軽減税率制度が実施されているね。ヨーロッパ諸国の付加価値税にも見られる方式だよ。	
地方税	道府県税	道府県民税，事業税，自動車税(軽自動車除く)，不動産取得税など	道府県税	地方消費税，道府県たばこ税，軽油引取税など
	市町村税	市町村民税，固定資産税，軽自動車税など	市町村税	市町村たばこ税，入湯税など

※垂直的公平とは，所得の多い人にはより大きな負担を求めることが公平であるという考え方。
　水平的公平とは，同程度の所得の人には同じ負担を求めるのが公平であるという考え方。

日本の租税に関する記述として，妥当なのはどれか。　【東京都】

1 日本国憲法では，国民に納税の義務を課すとともに，新たに租税を課したり，現行の租税を変更したりする場合には法律によることと定めている。

2 租税は，国税と地方税とに分けられ，所得税や消費税は国税であり，相続税や贈与税は地方税である。

3 個人の所得にかかる所得税は，所得の増加に従って税率が高くなる逆進課税となっているが，法人の所得にかかる法人税は定額となっている。

4 租税は，租税を負担する担税者と納税者が同一である間接税と，担税者と納税者が異なる直接税とに分けられる。

5 日本は，第二次世界大戦後，シャウプ勧告に基づく税制改革により，直接税中心の税制から間接税中心の税制へとシフトした。

解説

❶ ○ そのとおり。租税法律主義の記述として正しい。

❷ × 相続税も贈与税も国税である。なお，消費税は国税であるが，地方税の中には地方消費税もある。

❸ × 逆進課税ではなく，累進課税である。また，法人税は定額ではなく，定率である。

❹ × 間接税と直接税の記述が逆である。租税を負担する担税者と納税者が同一なのが直接税，担税者と納税者が異なるのが間接税。

❺ × シフトした税制の記述が逆。シャウプ勧告に基づく税制改革により，間接税中心主義の税制から直接税中心主義の税制へとシフトした。

もう1点GET +α 直間比率（国税＋地方税）

全税収入に占める直接税と間接税の割合を直間比率という。日本の場合，直接税のほうが割合としては大きい。

国	直接税	間接税
日本	66	34
アメリカ	78	22
イギリス	59	41
ドイツ	55	45
フランス	55	45

日本は2021（令和3）年度実績額，諸外国は2021年の計数。ドイツは推計値。

1問1答

直間比率とは，租税収入に占める国税と地方税の割合をいい，日本は地方税より国税の割合が高い。

正解 × 直間比率は，直接税と間接税の割合である。日本は直接税のほうが高い。

05 財政・金融

① 財政の機能

財政とは，国（政治）や地方公共団体が行う経済活動。

機能**❶資源配分機能**：**公共財**を提供する

機能**❷所得再分配機能**：**累進課税制度**や**社会保障給付**などを通じて所得を再分配

機能**❸経済安定化機能**：

> フィスカルポリシー
> **裁量的財政政策**のこと。ちなみに，複数の政策を組み合わせることを**ポリシー・ミックス**というよ。金融政策＋財政政策などだよ。

好況期	不況期
● 増税・公共投資減（**フィスカルポリシー**） ● 累進課税率上昇・社会保障給付減（**ビルトイン・スタビライザー**）	● 減税・公共投資増 ● 累進課税率低下・社会保障給付増

> ビルトイン・スタビライザー
> 自動的に景気を調整する機能を備えた仕組みだよ（財政の自動安定化装置）。

> 特例国債（赤字国債）
> 日本の場合は建設国債が少なく，特例国債が多いんだよ。

② 国債

建設国債	インフラの原資として発行する国債。**財政法４条の根拠あり**（建設国債の原則）。1966年度以降毎年発行
特例国債 （**赤字国債**）	短期的な財源不足を補うために，毎年特例法を作って発行する国債。1965年度に一度発行し，1975年度から継続的に発行（1990〜1993年度の間は発行していない）

国債は**日銀以外**の金融機関が買い取る（市中消化の原則）→一定期間経過後の国債を日銀が市場から買うことは許される（市中消化の原則の例外）。

③ 財政投融資

国債の一種である**財投債の発行など**により調達した資金を財源として，民間では対応が困難な長期・低利の資金供給や大規模・超長期プロジェクトの実施を可能とするための投融資活動。**2001年度よりも前は**，郵便貯金や年金積立金から義務預託された資金を原資として資金調達を行っていた。かつては「第二の予算」などと呼ばれていた。

④ 金融政策

（1）通貨制度

金本位制	金と交換できる**兌換紙幣を発行**する制度 ○→物価が安定する，為替相場が安定する ×→金融危機に柔軟に対応できない（通貨を増やせない）
管理通貨制度 →現在の日本	金の保有量と関係なく，**不換紙幣を発行できる**制度 ○→景気・物価調整のため，通貨を柔軟に調整できる ×→不換紙幣を乱発するとインフレになる

（2）金融の種類

直接金融	余剰資金の所有者が**株式・債券市場を通じて**，資金を直接企業に融通する方式（**株式や社債など**）
間接金融	余剰資金の所有者が銀行などの**金融機関**に預金し，金融機関が預かった資金を家計や企業に貸し付ける方式（**銀行借り入れ**）
自己金融 （内部金融）	収益の一部を**内部留保**して，自社で必要資金を賄う方式

（3）日本の金融政策

日本銀行の機能は，❶**唯一の発券銀行**（銀行券の発行），❷**銀行の銀行**（銀行に対する貸付や預金の受入れ），❸**政府の銀行**（国庫金の出納，**外国為替市場への介入**）である。**公開市場操作**が金融政策の柱。

財政の役割に関する記述として，妥当なのはどれか。　【東京都】

1　財政とは政府の経済活動をいい，資源配分の調整機能と景気調整機能の2つの機能を果たしているが，所得再分配の機能は果たしていない。

2　景気調整機能の一つである裁量的財政政策には，不況期には緊縮財政を行い，景気過熱期には積極財政を行うビルトイン・スタビライザーがある。

3　財政の自動安定化装置であるフィスカルポリシーは，金融政策と組み合わせることで，一時的に経済安定化の機能を果たすことがある。

4　政府や地方公共団体が提供し，不特定多数の人々が利用する財やサービスが公共財であり，資源配分の調整機能が発揮される代表例である。

5　第二の予算と呼ばれる財政投融資計画は，現在では，郵便貯金や年金積立金から義務預託された資金を原資として，地方公共団体に長期貸付を行っている。

解説

1 ✕ 財政には3つの機能がある。資源配分機能，経済安定化機能（景気調整機能）だけでなく，所得再分配機能もある。

2 ✕ 裁量的財政政策では，不況期には減税・公共投資増となる。つまり積極財政を行う。一方，景気過熱期（好況期）には増税・公共投資減となる。つまり，緊縮財政を行う。ビルトイン・スタビライザーとは，自動的に景気を調整する機能を備えた仕組み（財政の自動安定化装置）。累進課税や社会保障給付が具体例である。

3 ✕ フィスカルポリシーは裁量的財政政策のこと。また，金融政策と組み合わせることをポリシー・ミックスという。

4 ○ そのとおり。公共財の提供は，資源配分機能の具体例である。

5 ✕ 郵便貯金や年金積立金から義務預託された資金を原資にしていたのは，2001年度より前の話。

もう1点GET +α 金融用語

ペイオフ	金融機関が破綻した場合に，預金保険機構が元本1,000万円までとその利息の払戻しを保証する制度。日本振興銀行が経営破綻し，初めて発動された
マネーストック	個人や企業などの通貨保有主体が保有する現金通貨や預金通貨などの通貨残高。日本は預金通貨のほうが多い
BIS規制	国際業務を扱う銀行の自己資本比率を8％以上としなければならないというルール

1問1答

金融市場における競争を促進するため，国際業務を扱う銀行の総資産に占める自己資本の割合は8％を超えないよう国際的に規定されており，自己資本の過剰な積増しは禁止されている。

正解 ✕ 自己資本比率は8％以上と定められている。また，資本の積増しも求められている。

厳選問題

金融に関する記述として，妥当なのはどれか。 【東京都】

1 金融には，企業が株式や社債を発行して，証券会社が間に立って資金を調達する外部金融と，銀行などの金融機関を通じて資金を調達する内部金融とがある。

2 通貨には，日本銀行券と政府が発行する硬貨とに分類される現金通貨と，決済手段として使用できる普通預金と当座預金とに分類される預金通貨とがあり，日本では現金通貨のほうが多い。

3 通貨の発行制度には，金本位制度と管理通貨制度とがあり，金本位制度は，中央銀行の金保有量に通貨の発行量が制約されるため，通貨価値を安定させられるメリットがあるが，現在の日本では採用していない。

4 日本の中央銀行である日本銀行の機能には，発券銀行，銀行の銀行，政府の銀行の３つがあり，外国為替市場に介入するのは，銀行の銀行としての機能である。

5 日本銀行が行う金融政策には，公開市場操作，預金準備率操作，公定歩合操作などの手段があるが，最も頻繁に行われるのは，預金準備率操作と公定歩合操作であり，公開市場操作は現在ではほとんど用いられていない。

解説

❶ ✕ 企業が株式や社債を発行するのは直接金融，銀行などの金融機関を通じて資金を調達するのは間接金融である。

❷ ✕ 日本は預金通貨のほうが多い。

❸ 〇 そのとおり。現在の日本は管理通貨制度を採用している。

❹ ✕ 外国為替市場に介入するのは，政府の銀行としての機能で，日本銀行の機能である。

❺ ✕ 最も頻繁に行われるのは，公開市場操作である。公定歩合は，現在「基準割引率および基準貸付利率」と呼ばれ，政策金利ではない。

もう1点GET +α 地方財政

　地方財政は，地方公共団体の財政活動の総称。約90兆円規模となっており，<u>国の予算よりも小さい</u>。

歳入	● **地方税，地方交付税，国庫支出金**の順に多い ● 地方交付税は財源の偏在による**財政力の格差を是正**するために，国から交付されるもの→使途が決められていない（**一般財源**） ● 国庫支出金→使途が決められている（**特定財源**） ● 地方債は，地方公共団体の発行する公債→原則として，都道府県および指定都市にあっては総務大臣，市町村にあっては都道府県知事と**協議を行う**ことが必要
歳出	● 公債費の割合が高いと財政は硬直する

① 問 ① 答

地方交付税は使途が決められており，国会で金額が決定され，公布される。

正解 ✕　地方交付税の使途は決められていない。また，地方財政計画の歳入と歳出の差額を補填する形で金額が決定される。

06 経済用語

超約 ここだけ押さえよう！

ここだけ ① 国民経済計算の指標

　ある時点での国の有形資産（実物資産）と対外純資産の合計を**国富**という。**ストック**の代表例。一方，一定期間（通常1年間）に生み出される付加価値の量を示したものを**フロー**という。国内総生産が代表的な指標。

❶総生産額＝付加価値＋**中間生産物**

> 中間生産物
> 中間生産物は，材料や燃料などの仕入れコストのことだよ。人件費は入れないので注意して。

❷**国民総生産（GNP）**＝総生産額－中間生産物
　国内総生産（GDP）＝GNP－**海外からの純所得**

❸国民純生産（NNP）
　＝GNP－**固定資本減耗（減価償却）**
　国内純生産（NDP）
　＝GDP－**固定資本減耗（減価償却）**

> 国民総生産（GNP）
> 国民総所得（GNI）とほぼ同じだよ。

❹国民所得（NI）＝NNP－間接税＋補助金
　国内所得（DI）＝NDP－間接税＋補助金

※国民所得は，生産，分配，支出の3つの面から捉えることができる。そして，生産国民所得，分配国民所得，支出国民所得は等しくなる。これを「**三面等価の原則**」という。

> 海外からの純所得
> 海外からの純所得は，海外から送金される所得－海外へ送金される所得だよ。

> 固定資本減耗（減価償却）
> 建物，構築物，機械設備などが使用によってすり減ってしまう部分のことだよ。

② 経済成長

経済成長率	名目経済成長率→物価の変動を**考慮しないで計算**(名目GDPの変化率) 実質経済成長率→物価の変動を**考慮して計算**(**実質GDPの変化率**)
消費者物価指数	全国の世帯が購入する家計に係る財および**サービス(公共料金を含む)**の価格等を総合した物価の変動を時系列的に測定するもの ※ 企業間で取引される財の価格から計算したものを企業物価指数という。国内企業物価指数, 輸出物価指数, 輸入物価指数がある
インフレーション	**物価が上がり**, 貨幣価値が下落する →実物資産(不動産など)を保有する者にとっては有利 →固定給で働く労働者や年金生活者にとっては不利 →債権者にとっては不利だが, 債務者にとっては有利 物価が上がり 需要量＞供給量＝価格上昇 このように価格が上昇することをディマンド・プル・インフレーションというよ。
デフレーション	**物価が下がり**, 貨幣価値が上昇する →実物資産(不動産など)を保有する者にとっては不利 →固定給で働く労働者や年金生活者にとっては有利 →債権者にとっては有利だが, 債務者にとっては不利 物価が下がり 物価が下落→企業収益が減少→労働者の賃金が低下→購買力が低下→デフレで物価がさらに下落…となるとデフレスパイラルに陥ってしまうよ。
スタグフレーション	不況なのにインフレーションが生じている状況。**1970年代の第一次オイルショック時に日本でも見られた**

物価に関する記述として，妥当なのはどれか。 【東京都】

1 消費者物価とは，消費者が小売段階で購入する財の価格を平均したものであり，サービスの価格や公共料金は含まれていない。

2 企業物価とは，企業間で売買される商品であり，小売段階にある商品や，原材料などの価格を平均したものであって，外国からの輸入品は含まれていない。

3 物価が持続的に上昇する現象をインフレーションといい，総供給が総需要を上回ることによって起こるものをディマンド・プル・インフレーションという。

4 不況にもかかわらず物価が上昇する現象をスタグフレーションといい，1990年代初頭のバブル経済における日本で見られた。

5 デフレーションによる物価の下落と景気の悪化が，悪循環しながら進行する状態を，デフレスパイラルという。

解説

❶ × 消費者物価は，単純に財の価格を平均しているわけではない。品目別に支出額が消費に占める割合を求め，調査市町村別の平均価格を用いて計算する。また，サービスや公共料金も含まれる。

❷ × 外国からの輸入品も含まれる（輸入物価指数）。

❸ × ディマンド・プル・インフレーションは，需要インフレともいい，総需要が総供給を上回ることによって起こる。そもそも総供給が総需要を上回ると，デフレーションが発生する。

❹ × スタグフレーションは，日本において1970年代に見られた。

❺ ○ そのとおり。デフレスパイラルの記述として正しい。

 もう1点GET
+α 景気循環

景気は，好況期，後退期，不況期，回復期というサイクルをたどる。この循環の周期は以下の通り。

キチンの波	**約40か月**の周期。在庫投資が原因
ジュグラーの波	**主循環（メジャーサイクル）** と呼ばれ，**約10年**の周期。設備投資が原因
クズネッツの波	**約20〜25年**の周期。建設投資が原因
コンドラチェフの波	**約50年**の周期。**技術革新**が原因

 1問1答

ジュグラーの波は，約40か月の周期を有し，その原因は，建設投資によると解されている。

正解 ✕ ジュグラーの波は約10年の周期。設備投資が原因。

国民所得または景気変動に関する記述として，妥当なのはどれか。

【特別区】

1 国民総所得から固定資本減耗を差し引いたものを国民純生産といい，国民純生産から間接税を差し引き，補助金を加えたものを国民所得という。

2 国民所得は，生産，分配，支出の３つの面から捉えることができ，分配国民所得および支出国民所得の合計が生産国民所得と等しくなる。

3 国富とは，工場，道路，土地，地下資源などの実物資産および金融資産の合計であり，対外純資産は含まない。

4 ジュグラーの波とは，技術革新を原因とする景気循環で，約50年を周期とする長期波動である。

5 コンドラチェフの波とは，設備投資の変動を原因とする景気循環で，約10年を周期とする中期波動である。

解説

1 ○ そのとおり。国民総所得（GNI）は国民総生産（GNP）とほぼ同じと考えてよい。すると，国民純生産（NNP）は，国民総所得（GNI）から固定資本減耗を差し引いたものといえる。

2 × 生産国民所得＝分配国民所得＝支出国民所得となる（三面等価の原則）。

3 × 国富は，ある時点での国の有形資産（実物資産）と対外純資産の合計である。対外純資産は含み，金融資産は含まれない。

4 × 本肢はコンドラチェフの波に関する説明である。

5 × 本肢はジュグラーの波に関する説明である。

もう1点GET
+α **財政用語**

カルテル	同業種の企業が価格や生産量について協定を結ぶ。独占禁止法で禁止されている
トラスト	同業種の企業が合併して巨大企業となる
コンツェルン	業種を問わずの複数の企業が株式保有や融資等によって結びつく。持株会社を親会社として子会社をもつ（階層的で戦前の財閥が典型）
コングロマリット	業種を問わず複数の企業がM&A（買収等）により成立した水平的な企業グループ

1問1答

同業種の企業が価格や生産量などについて協定を結ぶカルテルは，現行法上禁止されていない。

正解 ✕ カルテルは独占禁止法で禁止されている。

07 環境

ランク A

超約 ここだけ押さえよう!

① 4大公害訴訟

	イタイイタイ病	新潟水俣病	四日市ぜんそく	熊本水俣病
被告	三井金属鉱業	昭和電工	四日市コンビナート6社	チッソ
場所	富山県神通川流域	新潟県阿賀野川流域	三重県四日市市	熊本県水俣市
物質	カドミウム	メチル水銀化合物(有機水銀)	硫黄硫酸物	メチル水銀化合物(有機水銀)

※**すべて原告勝訴**で企業に対し損害賠償の
支払いを命じた。

すべて原告勝訴
その後もじん肺や肺がん,悪性中皮腫を発症させる物質である**アスベスト(石綿)**が問題となり,国の賠償責任を認める最高裁判決が出ているよ。

② 用語説明

汚染者負担の原則	公害発生者が,公害防止や被害者救済のための費用を負担するという原則。日本では**公害健康被害補償法**で法制化
無過失責任の原則	公害発生者は,故意または過失がなくても損害賠償義務を負うという原則。大気汚染防止法,水質汚濁防止法で明記
環境基本法	**公害対策基本法**と自然環境保全法を廃止,改正し,日本の環境政策を定める法として1993年に成立した法律

公害対策基本法
1967年に制定されたよ。1971年には環境庁ができたんだ。

環境アセスメント	大規模開発を行う前に，開発による環境への影響を調査，予測，評価することで，その事業に係る環境の保全について適正な配慮がなされることを目的とする概念。1997年に環境影響評価法(環境アセスメント法)として具現化

③ 温室効果ガスの削減

ここだけ

1992年，国連環境開発会議(地球サミット)が開催され，気候変動枠組条約が採択された。2015年の第21回気候変動枠組条約締約国会議(COP21)でパリ協定が採択され，2016年に発効した。COP26では，温室効果ガスの削減量を「排出権」として融通し合う市場メカニズムについても合意し，パリ協定のルールブックはすべて完成。続くCOP27では，「損失と損害」に対する支援を行う基金設立を決定。

パリ協定が採択
京都議定書では，先進国のみに削減義務(後にアメリカが離脱)が課されていたよ。

加盟国	196の国と地域(中国，アメリカ，インドを含む)
数値目標	産業革命前からの気温上昇を2度未満に抑えること，1.5度未満も努力→COP26で1.5度未満が公約に
ルール	すべての加盟国が自主的に削減目標を策定し，提出する義務
日本の削減目標	2050年までにカーボンニュートラルをめざす。中間目標は，2030年度までに2013年度比で46%削減(50%削減も挑戦)

④ 環境条約

ここだけ

ラムサール条約	水鳥と湿地を保護する条約。日本には登録湿地が多数ある
ワシントン条約	絶滅のおそれのある種の商取引を規制
ウィーン条約	オゾン層を破壊するフロンガスを規制する条約→モントリオール議定書で具体策を明記
バーゼル条約	有害廃棄物の越境移動を規制する条約

厳選問題

　次は，地球環境問題に関する記述であるが，A，B，Cに当てはまるものの組合せとして最も妥当なのはどれか。　　【国家一般職】

　地球温暖化が進むと，気温上昇により異常気象が増加するなどの悪影響が予想されている。地球温暖化防止のため，1992年，国連環境開発会議（地球サミット）が開催され，温暖化対策のための　A　が採択された。2015年の同条約締約国会議では，開発途上国を含むすべての締約国が温室効果ガスの削減に取り組む新たな枠組みである　B　が採択された。

　また，地球上には多様な生物種が存在しており，生態系は微妙なバランスの下に成り立っている。急激な生物種の減少による生態系の変化の影響は計り知れないものがあり，こうした危機に対応するため，1971年，水鳥の生息地として国際的に重要な湿地とそこに生息・生育する動植物の保全を目的とした　C　が採択された。

	A	B	C
1	ワシントン条約	パリ協定	ラムサール条約
2	ワシントン条約	パリ協定	バーゼル条約
3	ワシントン条約	京都議定書	ラムサール条約
4	気候変動枠組条約	パリ協定	ラムサール条約
5	気候変動枠組条約	京都議定書	バーゼル条約

解説 正答 **4**

A	**気候変動枠組条約**	ワシントン条約は、絶滅のおそれのある種の商取引を規制する条約である。
B	**パリ協定**	京都議定書は、第3回気候変動枠組条約締約国会議（COP3）で採択された地球温暖化対策のための議定書。先進国のみに削減義務が課されていた。
C	**ラムサール条約**	バーゼル条約は、有害廃棄物の越境移動を規制する条約である。

もう1点GET

+α リサイクル法制

容器包装リサイクル法	容器包装廃棄物を資源として有効利用し、ごみの減量化を図るための法律。消費者は分別排出，市町村は分別収集，事業者は再商品化を行う。2020年からプラスチック製買い物袋の有料化が開始
家電リサイクル法	**家電製品4品目（❶エアコン，❷テレビ〈ブラウン管，液晶・プラズマ〉，❸冷蔵庫・冷凍庫，❹洗濯機・衣類乾燥機）をリサイクルするための法律。収集・運搬費用とリサイクル費用は消費者が負担する**

家電製品4品目
パソコンは含まれないよ。

1問1答

家電リサイクル法では、冷蔵庫，テレビ，エアコンの3品目が対象とされており，リサイクル費用をメーカーが負担することになっている。

正解 ✕ エアコン，テレビ，冷蔵庫・冷凍庫，洗濯機・衣類乾燥機の4品目。また，リサイクル費用は，消費者が負担する。

08 少子高齢化・社会保障 ランク B

超約 ここだけ押さえよう!

ここだけ ① 少子化

合計特殊出生率	1.20（2023年）　低下傾向↓
出生数	約73万人（2023年）　減少傾向↓
保育所待機児童	2,567人（2024年4月時点）　減少傾向↓ 過去最少
こども家庭庁	内閣府の外局として2023年4月に発足

ここだけ ② 高齢化

高齢化率 （全人口に占める65歳以上の割合）	29.2%（2024年1月時点）　上昇傾向↑ 世界最高水準
平均寿命	男性は81.09歳，女性は87.14歳（2023年） ともに前年下回る
労働力人口に占める65歳以上の高齢者の割合	13.6%（2022年）　上昇傾向↑

ここだけ ③ 社会保障

　社会保障制度は**社会保険**，**社会福祉**，**公的扶助**，**保健医療・公衆衛生**の4つに分かれる。特に出題されるのは社会保険で，次のとおり。

年金保険	● <u>賦課方式</u>を基本とし，一部積立方式を取り入れている。年金事務は<u>日本年金機構</u>が行っている ● <u>20歳以上</u>のすべての人が共通して加入する<u>国民年金（基礎年金）</u>と，会社員・公務員が加入する<u>厚生年金（報酬比例年金）</u>による，「2階建て」になっている。加入は義務

賦課方式
現役世代が納めた保険料を年金受給者への給付に回すイメージだよ。

厚生年金（報酬比例年金）
保険料は報酬に比例して，報酬（年収）の一定割合が徴収されるよ。一方の国民年金は一定額だけどね。

会社員（サラリーマン）	厚生年金（＋国民年金）
公務員	厚生年金（＋国民年金）
自営業，無職	国民年金のみ

医療保険		
	会社員（サラリーマン）	<u>健康保険</u>（全国健康保険協会〈協会けんぽ〉，健康保険組合）
	公務員	共済保険
	自営業，無職	<u>国民健康保険</u>

※ 75歳以上になると，**後期高齢者医療保険**に加入することになる。

労働者災害補償保険	労働者の**業務上**の事由または**通勤**による労働者の傷病等に対して保険給付を行う。費用は事業主が負担（**全額が事業主負担**）
雇用保険	失業した人や教育訓練を受ける人に対して，失業等給付を支給。公務員は対象外。保険料は労働者と事業主の折半（ただし，事業主のほうが多く負担）
介護保険	被保険者は第1号被保険者（65歳以上の者）と第2号被保険者（40歳以上65歳未満の医療保険加入者）。第1号被保険者は，介護認定審査会で**要介護（1～5）**，**要支援（1，2）**と認定されると保険給付を受けられる。**40歳以上**から保険料を徴収。保険者は**市区町村**。自己負担割合は所得に応じて1～3割

厳選問題

わが国の公的年金制度に関する記述として，妥当なのはどれか。

【地方初級】

1 国民年金は20歳以上の国民を対象とする年金制度であり，国民はこれに加入するか加入しないかを自ら選択することができる。

2 厚生年金はサラリーマンや公務員を対象とする年金制度であり，その加入者は所得の多寡とは無関係に定額の保険料を負担する。

3 現役世代の納めた保険料が現在の年金受給者への支払いに充てられているため，少子高齢化の進展とともに年金財政が悪化しつつある。

4 不正アクセスによる情報流出事件を受けて日本年金機構が廃止され，現在では厚生労働省が公的年金の運営事務を行っている。

5 高齢者の生活保障を手厚くするため，厚生年金の完全支給開始年齢が65歳から60歳へと段階的に引き下げられている。

解説

❶ × 20歳以上の全国民は国民年金に加入しなければならない（義務）。

❷ × 厚生年金の保険料は報酬比例とされており，報酬（年収）の一定割合が保険料として徴収される。一方，保険料が定額とされているのは，国民年金である。

❸ ○ そのとおり。日本の年金は，賦課方式が基本となっているため，現役世代が年金受給者を支える形となる。したがって，少子高齢化とともに年金財政は厳しい状況となっている。

❹ × 現在も公的年金の運営事務は，日本年金機構が行っている。

❺ × 法律改正で，厚生年金の支給開始年齢が60歳から65歳へと段階的に引き上げられている。

もう1点GET +α 生活保護（公的扶助）

　生活保護は，生活困窮者に最低限度の生活を保障するための制度。生活・生業・教育・住宅・医療・介護・出産・葬祭の**8種類**の扶助がある。

　このうち，**医療・介護は現物給付**となっている。生活保護を受給するために**世帯単位の原則**のもと，資力調査（ミーンズテスト）を経なければならない。

①問①答

生活保護は，生活困窮者を除く，高齢者や障害者など社会的に弱い立場にある人々に，国がリハビリテーションや在宅ケア等のサービスを提供する制度である。

正解 ✕ 社会福祉に関する説明。生活保護は，生活困窮者に対して最低限度の生活を保障するために行われる。

09 情報など

超約 ここだけ押さえよう！

① 情報用語

クラウドファンディング	インターネットを介して**不特定多数の人々から資金調達**をすること
フィンテック	**情報通信技術（ICT）を活用した革新的な金融サービス**のこと。金融を意味する「finance」と技術を意味する「technology」を組み合わせた造語
ブロックチェーン	情報通信ネットワーク上にある端末どうしを直接接続して，取引記録を**暗号技術を用いて分散的に処理・記録するデータベース**の一種。「**ビットコイン**」等の仮想通貨に用いられている基盤技術
IoT	「**Internet of Things**」（**モノのインターネット**）のこと。自動車，家電，ロボット，施設などあらゆるものをインターネットにつなげ，情報のやり取りをすること
AI	人工知能のこと。**機械学習**技術を用いる
ChatGPT	生成AIの１つで対話型の人工知能（AI）。インターネット上の文章を大量に機械学習し，人間と会話をしているような自然な文章を生成できる。ただ，著作権侵害や個人情報保護などに課題があるとされる

デジタル・デバイド	情報通信技術を利用できるか否かなどによって生じる**情報格差**。社会的・経済的格差にもつながる
VR, AR, MR	VR（Virtual Reality）は**仮想現実**。AR（Augmented Reality）は**拡張現実**。MR（Mixed Reality）は複合現実
NFT	「Non-Fungible Token」の頭文字を取った用語で，「**非代替性トークン**」を意味する。デジタルアイテムを保有することの証明で，それが唯一無二であることを意味する
メタバース	インターネット上に構築された3次元**仮想空間**
電子商取引	eコマースとも呼び，**インターネットを利用した取引**のこと
サブスクリプションサービス	**定額料金**を支払うことで，一定期間自由にサービスを受けられる仕組み

> 情報格差
> 情報を主体的に正しく読み取る能力は「情報リテラシー」というよ。

> 拡張現実
> 現実の風景に情報を重ねて表示するんだ。

ここだけ
② 知的財産権

　知的財産権のうち，特許権，実用新案権，意匠権および商標権の４つを「<u>産業財産権</u>」という。ほかにも著作権が有名である。

特許権	自然法則を利用した，**新規かつ高度**で産業上利用可能な発明を保護する権利
実用新案権	物品の形状，構造，組合せに関する**考案を保護**する権利
意匠権	独創的で美感を有する物品の形状，模様，色彩などの**デザインを保護**する権利
商標権	商品・サービスを区別するために使用する**マーク（文字，図形など）を保護**する権利
著作権	著作物を他者に無断で使用されないように保護する権利

情報化社会に関する記述A～Dのうち，妥当なもののみを挙げているのはどれか。

【国家一般職】

A　情報化社会の進展に伴い，個人情報の保護について問題が生じ，わが国では平成22年に情報公開法が制定され，個人情報の適切な取扱いが義務づけられた。

B　多様な大量の情報が伝達される社会の中で，情報を主体的に正しく読み取って活用できる能力が求められるが，この能力のことを情報リテラシーという。

C　インターネットやコンピュータなどの情報通信技術を利用できる人・地域と，利用できない人・地域との格差をデジタル・デバイド（情報格差）という。

D　インターネットの普及に伴い，新しいデザインなどを独占的に使用する権利である著作権や，自分の顔や姿を無断で絵画に描かれたりしない権利である商標権の侵害が問題となっている。

1　A，B

2　A，C

3　B，C

4　B，D

5　C，D

== 解説

A ×　個人情報の適切な取扱いを義務づけているのは，平成15年に制定された「個人情報保護法」である。情報公開法は，行政文書の開示を請求する権利を定めている（もう1点GET +α 参照）。

B ○　情報を適切に取捨選択し，正しく読み取っていく能力が求められている。

C ○　情報格差が生じると，それがひいては社会的・経済的格差にもつながる。

D ×　新しいデザインなどを独占的に使用する権利は意匠権，自分の顔や姿を無断で絵画に描かれたりしない権利は肖像権である。

もう1点GET +α 情報公開法と個人情報保護法

● 情報公開法

背景	情報公開制度は，**スウェーデン発祥**。日本は**地方**で条例化された後に情報公開法ができた→1999年成立，2001年施行
内容	● 知る権利の具体化立法だが，**目的には知る権利は明記されていない** ● 「**何人**」も行政文書の開示請求権を持つ（外国に住んでいる外国人も可）

● 個人情報保護法

内容	個人情報の適切な取扱いが義務づけられている。個人情報保護法，行政機関個人情報保護法，独立行政法人等個人情報保護法の3本の法律があったが，**1本の法律に統合された**。また，個人情報にかかわる全体の所管を**個人情報保護委員会**に一元化した

1問1答

情報公開法は，地方に先駆けて国が法制化し，日本国民であれば誰でも行政文書の開示請求権を持つ。

正解 ×　地方が先で国が後。また，「何人」も行政文書の開示請求権を持つので，日本国民に限定されない。

情報通信技術に関する記述として，最も妥当なのはどれか。

【東京都】

1 AIとは，大量のデータを解析して学習する系列学習やディープラーニング等の手法により，人間が行うような知的活動を行うプログラムのことをいう。

2 IoTとは，人間がスマートフォンやパソコンなどの情報通信機器を介し，インターネットに接続して通信する技術や仕組みをいう。

3 サブスクリプションサービスとは，インターネットを利用して個人が情報を双方向にやり取りできるサービスをいう。

4 電子商取引(eコマース)とは，インターネット上で，企業間，企業と消費者間または消費者間で行われる，商品の売買やサービスの取引などをいう。

5 メタバースとは，コンピュータを使って，現実の風景の中に情報を重ねて表示することをいう。

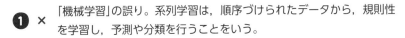

解説

❶ × 「機械学習」の誤り。系列学習は，順序づけられたデータから，規則性を学習し，予測や分類を行うことをいう。

❷ × 本肢は「インターネット接続技術」または「ネットワーキング技術」の説明である。具体的には，Wi-Fiやモバイルデータ通信などのことをいう。

❸ × 本肢は「ソーシャルメディア」の説明である。具体的には，SNSやメッセージアプリなどのことをいう。

❹ ◯ そのとおり。種類としては，B2C（企業対消費者），B2B（企業対企業），C2C（消費者対消費者）などがある。

❺ × 本肢は「拡張現実」の説明である。メタバースは，インターネット上に構築された3次元仮想空間である。

もう1点GET +α Society 5.0

サイバー空間（仮想空間）とフィジカル空間（現実空間）を**高度に融合**させたシステムにより，経済発展と社会的課題の解決を両立する，人間中心の社会（Society）のこと。これを実現するためには，5G，IoT，AI，ビッグデータ解析，ロボティクス，ブロックチェーンなどの技術が必要。

①問①答

Society 5.0とは，サイバー空間（仮想空間）とフィジカル空間（現実空間）を高度に分離し，経済発展と社会的課題の解決を図る人間中心の社会のことである。

正解 ✕ サイバー空間（仮想空間）とフィジカル空間（現実空間）を高度に融合させる。

⑩ 江戸時代の三大改革など

ランク **A**

① 元禄時代（5代将軍 徳川綱吉の政治）

生類憐みの令	中野などに犬屋敷を設置，野犬を保護
元禄金銀	勘定吟味役の荻原重秀のすすめで，質の悪い元禄金銀を鋳造した→インフレになり庶民の生活に悪影響

② 新井白石の政治

正徳金銀	良質の貨幣を発行→金銀の含有量を正常に戻す
海舶互市新例（長崎新令）	金銀の海外流出を防止するために，長崎貿易を制限

③ 享保の改革（8代将軍 徳川吉宗の改革）

町火消	江戸「いろは」47組を結成
相対済し令	金銭貸借についての争いは受け付けない
目安箱の設置	目安箱の投書により，貧困者のための無料診療施設である小石川養生所を設置
上げ米	1万石につき100石を幕府に上納させる→その代わり参勤交代は半減
足高の制	人材の登用制度→在職中だけ役高不足を補う
公事方御定書	合理的な裁判を行うための基準→大岡忠相が編纂

> 100石を上納させる同年に，収穫に応じた検見法をやめ，定免法に変えたよ。年貢が安定するね。

④ 田沼時代(老中 田沼意次の政治)

株仲間	積極的に公認し,運上・冥加を増徴した
新田開発	手賀沼・印旛沼の干拓→利根川の氾濫でとん挫
飢饉	天明の大飢饉が起こる→失脚

> 運上・冥加
> 営業税のことだよ。
> もうけた分を幕府
> に支払うんだ。

⑤ 寛政の改革(老中 松平定信の改革)

囲米	飢饉に備え義倉・社倉を作り1万石につき50石の米を蓄えさせた
棄捐令	札差(金融業者)に貸金を放棄させた→旗本・御家人を救済
石川島の人足寄場	無宿人を収容し,職業を身に着けさせた(職業訓練所)
寛政異学の禁	朱子学を正学とし,それ以外は禁止
旧里帰農令	出稼ぎ制限→江戸からの帰村を奨励
七分積金	町入用の節約分の7割を積み立てさせた

> 寛政異学の禁
> 同年に出版統制令も出され
> ているよ。林子平は『海国兵
> 談』を出して処罰されたよ。

⑥ 天保の改革(老中 水野忠邦の改革)

倹約令	ぜいたく品や華美な服装を禁止
株仲間	解散を命じた
人返しの法	離村・出稼ぎの禁止,江戸に流入した人を強制的に帰村させようとした
薪水給与令	異国船打払令を緩和し,薪と水を分け与えるという方向へシフト→急な方向転換→幕府の権威がゆらぐ
上知(地)令	海防強化のため,江戸・大坂周辺を直轄地としようとした→失敗

次のA～Cは，江戸時代に行われたいわゆる三大改革（享保・寛政・天保）に関する記述であるが，それぞれに該当する改革の組合せとして妥当なのはどれか。 【地方初級】

A　物価引下げのため，商品流通を独占している株仲間の解散を命じた。

B　飢饉に備え，各地に義倉や社倉を設けて米穀を貯蔵させる囲米を命じた。

C　大名に石高1万石につき100石を幕府に上納させる上げ米を命じた。

	A	B	C
1	享保	寛政	天保
2	寛政	享保	天保
3	享保	天保	寛政
4	天保	享保	寛政
5	天保	寛政	享保

=（解説）

Ⓐ 天保の改革　「株仲間の解散」というキーワードで判断できる。なお，株仲間を積極的に公認したのは田沼意次である。

Ⓑ 寛政の改革　「囲米」というキーワードで判断できる。なお，享保の改革における「上げ米」と間違えないように注意しよう。

Ⓒ 享保の改革　「上げ米」というキーワードで判断できる。

もう1点GET +α　幕末の出来事

1854	**日米和親条約** →下田と箱館を開港
1858	**日米修好通商条約** →**大老の井伊直弼**が勅許（許可）を得ずに調印
1858〜59	**安政の大獄** →無勅許調印に反対する勢力を処罰
1860	**桜田門外の変** →大老の井伊直弼が暗殺される
1862	坂下門外の変→老中安藤信正が襲撃され失脚
1863	八月十八日の政変 →長州藩と**三条実美**らの尊王攘夷派を京都から追い出した
1864	禁門の変→長州藩と薩摩藩が交戦（長州藩が敗走）
1866	**薩長同盟** →坂本龍馬の仲介
1867	10月 **大政奉還** →山内豊重が建白（中立ち）。徳川慶喜が政権返上 12月 王政復古の大号令 →小御所会議（慶喜に辞官納地を命じた）
1868	鳥羽・伏見の戦い（戊辰戦争勃発）

①問①答

安政の大獄は，大老の井伊直弼が，勅許を得ないまま日米和親条約を調印したことを非難する動きを抑えるため，反対派の公家や大名を処罰した事件である。

正解 ✕ 「日米和親条約」ではなく，「日米修好通商条約」である。

11 明治初期〜日露戦争 ランク A

超約 ここだけ押さえよう！

① 明治初期の政策

版籍奉還（1869）	旧藩主は知藩事としてそのまま藩政を続行→意味なし
廃藩置県（1871）	藩を廃止して府県とし，中央から府知事・県令を派遣
学制（1872）	義務教育の必要性を示す
徴兵令（1873）	士族・平民の別なく20歳以上の男子（3年間）
地租改正（1873）	課税基準を収穫高→地価へ。地価の3％を土地所有者に金納させる→農民一揆頻発
殖産興業	軽工業中心で，なかでも製糸業は主要輸出産業に→官営模範工場（富岡製糸場）

> 義務教育
> ただし，義務教育が初めて採用されたのは1886年の小学校令においてだよ。その後1907年の小学校令改正で6年に延長されたんだ。

② 自由民権運動の流れ

1874	板垣退助が明治6年政変で下野（辞職）し，後藤象二郎らとともに，民撰議院設立の建白書を政府に提出→国会の開設を要求
1875	漸次立憲政体樹立の詔を発布→元老院（立法の諮問機関），大審院（最高裁判所），地方官会議を設置する
1880	国会期成同盟が結成→政府は集会条例で規制

1881	● 開拓使官有物払下げ事件が起こる→これを批判した大隈重信は**国会開設の勅諭**を取り付けて下野した(**明治14年政変**) ● 板垣退助が**自由党**を結成→**フランス流の急進的自由主義政党**を唱えた
1882	大隈重信が**立憲改進党**を結成→**イギリス流の穏健な政党**(議院内閣制の確立を主張)を唱えた
1887	**三大事件建白運動**が高揚 →政府は**保安条例**で規制

国会開設の勅諭
10年後の国会開設を約束したんだよ。

三大事件建白運動
地租軽減，言論・集会の自由，外交の失策の挽回の3つをめざした。

ここだけ
③ 日清戦争・日露戦争

日英同盟
国内では，日英同盟論(桂，山県)と日露協商論(伊藤)が対立していたよ。

	日清戦争	日露戦争
原因	**甲午農民戦争** (**東学党の乱**)(1894)	**義和団事件** (**北清事変**)(1900)
同盟	なし	**日英同盟**(1902)
主な戦い	豊島沖海戦(初戦)→勝，黄海海戦→勝	奉天の会戦→勝，**日本海海戦**→勝(ロシアのバルチック艦隊を撃破)
講和条約	**下関条約**(1895，日本全権伊藤・陸奥vs.清国全権李鴻章)→朝鮮の独立の承認，遼東半島の割譲，台湾の割譲が内容。遼東半島の割譲に対しては，**三国干渉(ロシア・フランス・ドイツ)**→日本は返還	**ポーツマス条約**(1905，日本全権小村vs.ロシア全権ウィッテ)→セオドア・ローズヴェルトの仲介。賠償金なし→これに対して**日比谷焼討ち事件**が勃発
結果	賠償金(**3億1,000万円**)を元手に**金本位制**に移行し，**第一次産業革命**へ。1901年には八幡製鉄所の操業を開始	対露→4次にわたる日露協約を締結。対朝鮮→**第二次日韓協約**(1905)で**統監府**(初代統監伊藤博文)を設置(保護国化)。**韓国併合条約**(1910)で**朝鮮総督府**(初代総督寺内正毅)を設置(植民地化)

自由民権運動に関する記述として，妥当なのはどれか。【東京都】

1 自由民権運動の高まりを受け，政府は三権分立をめざし，最高の裁判所である元老院，立法の諮問機関としての大審院，府知事・県令からなる地方官会議を設置した。

2 国会開設の勅諭が出されたことを受け，国会開設をめざす全国組織として国会期成同盟が結成された。

3 大隈重信を初代党首とする自由党は，フランス流の急進的自由主義を唱え，主として地方農村を基盤としていた。

4 板垣退助を初代党首とする立憲改進党は，イギリス流の議院内閣制を主張し，主として都市の実業家や知識人に支持された。

5 国会開設が近づくと，地租軽減，言論・集会の自由，外交失策の挽回を要求する三大事件建白運動が高揚したため，政府は保安条例を定め，民権派を東京から追放した。

解説

❶ × 漸次立憲政体樹立の詔を発したのは1875年なので，自由民権運動が高まる前のことである。自由民権運動は，1877年の西南戦争の後から盛り上がりを見せた。また，最高の裁判所は大審院，立法の諮問機関が元老院である。

❷ × 国会期成同盟が結成されたのは，1880年である。一方の国会開設の勅諭は1881年に発表された。つまり，時代の順番が逆であるため誤り。

❸ × 「大隈重信」ではなく，「板垣退助」である。

❹ × 「板垣退助」ではなく，「大隈重信」である。

❺ ○ そのとおり。民権派の団結を促す「大同団結運動」や「三大事件建白運動」を弾圧するため，政府は1887年に保安条例を制定した。

もう1点GET +α 自由民権運動に影響を与えた人物

福沢諭吉	● 自由民権運動に大きな影響を与えたが，「**官民調和**」を唱え，急進的な自由民権運動からは距離をとった ● 『**学問のすゝめ**』→「天は人の上に人を造らず，人の下に人を造らず」（天賦人権論）。「**一身独立して一国独立す**」
中江兆民	● ルソーの『社会契約論』を翻訳した『**民約訳解**』を発表 →「**東洋のルソー**」と呼ばれた ● 「**自治之政**」（**人民主権**）**を理想とした**。また，恢復的民権の必要性を説いた

1問1答

福沢諭吉は，ルソーの「社会契約論」を翻訳した「民約訳解」を発表し，ドイツ流の立憲君主制を主張する自由党の党首として，その結成に加わった。

正解 ✕ 「福沢諭吉」ではなく，「中江兆民」。また，自由党はドイツ流の立憲君主制ではなく，フランス流の急進的な自由主義。さらに，自由党の党首は板垣退助。

12 第二次世界大戦後の日本

ランク A

 ここだけ押さえよう！

 ① **戦後の経済史**

1940年代後半	● **傾斜生産方式**→インフレに→**ドッジ・ライン**→デフレに（ドッジデフレ） ● **シャウプ勧告**で直接税中心主義へ	**ドッジ・ライン** インフレを収束させるために，GHQが実施した財政金融引締め政策だよ。1ドル＝360円の固定相場制がとられたよ。
1950年代	● **朝鮮戦争**による特需→**高度経済成長期**へ（神武景気・岩戸景気） ● 「**三種の神器**」が流行→**冷蔵庫，洗濯機，白黒テレビ**	
1960年代	● **オリンピック景気**→**東海道新幹線**や**首都高**などのインフラを整備（建設投資） ● 1967年に**国民所得倍増**を達成→国民総生産（GNP）が資本主義世界で第2位へ（いざなぎ景気） ● 「**新三種の神器（3 C）**」が登場→**カラーテレビ，クーラー，カー**	
1970年代	● **第四次中東戦争**を契機に**第一次オイルショック**が発生→原油価格が高騰→国内では激しい**インフレ**→景気低迷が相まって**スタグフレーション**→高度経済成長期の終焉	**スタグフレーション** 1974年は戦後初めての**マイナス成長**となったんだ。
1980年代	● アメリカと自動車関連をめぐる経済摩擦→先進5か国蔵相・中央銀行総裁会議（G5）で，**ドル高を是正**する**プラザ合意**が結ばれる→日本は**円高不況**に→超低金利政策で地価・株価が暴騰する**バブル景気**へ	**ドル高を是正** 「円安＝ドル高」→「円高＝ドル安」へと修正したんだ。円高だと輸出があまりできなくなっちゃうね…。

1990年代	バブル景気崩壊→複合不況へ（平成不況）
2000年代	リーマン・ショック発生→世界的な金融危機へ

② 戦後の政治・外交史

首相名	出来事
吉田茂	**サンフランシスコ平和（講和）条約**（西側諸国のみと単独講和），同日に日米安全保障条約調印
鳩山一郎	GATT加盟，自由民主党結成（自由党と日本民主党が保守合同）→**55年体制確立**，**日ソ共同宣言**→国際連合加盟 **55年体制確立** 自民党と社会党の議席数は**約2：1**。38年間ほぼ自民党の単独政権が続いたよ。
岸信介	日米相互協力および安全保障条約（日米新安全保障条約）→**日米共同防衛義務**を明記，事前協議制導入，安保闘争で退陣
池田勇人	**所得倍増計画**（10年足らずで達成），東京五輪開催
佐藤栄作	日韓基本条約（韓国との国交正常化），武器輸出3原則，非核三原則，小笠原諸島返還，日米繊維摩擦の解決を約束→**沖縄返還**
田中角栄	列島改造論，**日中共同声明**（中国と国交正常化）→台湾とは政治的断交，第一次オイルショック→高度経済成長に終止符
福田赳夫	**日中平和友好条約**，日米ガイドライン，福田ドクトリン（ASEAN重視の外交）
中曽根康弘	「**増税なき財政再建**」，**三公社民営化**（電電公社→NTT，日本専売公社→JT，国鉄→JR），**プラザ合意**（アメリカのドル高を是正する合意）→**円高不況**

第二次世界大戦後のわが国の経済に関する記述として最も妥当なのはどれか。　【国家一般職】

1 1950年代前半，第一次中東戦争に伴い，物資の補給などの大量の需要（特需）がもたらされ，わが国の景気は一挙に回復し，1950年代後半には国民総生産（GNP）が世界第2位となった。

2 1960年代後半，経済の実態に合わない変動為替相場制は不公平だとの批判が国際社会で高まり，わが国は，シャウプ勧告に基づき，固定為替相場制に移行した。

3 1970年代前半，湾岸戦争の勃発を契機とする原油価格の高騰は，激しいデフレーションを引き起こし，国民生活に大きな打撃を与えた。

4 1980年代半ば，自動車産業などで米国との経済摩擦が強まる中，先進5か国蔵相・中央銀行総裁会議（G5）で，ドル高を是正するプラザ合意が結ばれ，円高が急速に進んだ。

5 2000年代初頭，リーマン・ショックを契機に，わが国では，株価や地価が大幅に下落してバブルが崩壊し，第二次世界大戦後初のマイナスの経済成長率を記録した。

解説

❶ × 「第一次中東戦争」ではなく，「朝鮮戦争」である。また，わが国の国民総生産（GNP）がアメリカに次ぐ世界第2位となったのは1968年である。

❷ × 日本は1949年から1ドル360円の固定為替相場制を採用した。日本が変動為替相場制に移行したのは1973年である。なお，シャウプ勧告は1949年にアメリカからなされた税制改革の指南であり，これにより日本は直接税中心主義に移行した。

❸ × 「湾岸戦争」ではなく，「第四次中東戦争」である。また，「デフレーション」ではなく，「インフレーション」である。

❹ ◯ そのとおり。日本は円高不況となった。

❺ × バブルが崩壊したのは1990年代初頭。リーマン・ショックは2008年である。また，第二次世界大戦後初のマイナスの経済成長を記録したのは，1974年。

もう1点GET +α 戦後直後の日本

❶ 戦後の日本統治→アメリカの**間接統治**（GHQの指令・勧告に基づいて日本政府が政治を行う）が始まる

❷ 日本国憲法の公布・施行（吉田茂内閣）→**1946年11月3日公布，1947年5月3日施行**

❸ **サンフランシスコ平和（講和）条約**（吉田茂内閣）→1951年署名，1952年発効。これにより占領が終了し主権を回復

1問1答

第二次世界大戦での敗戦後，連合国軍最高司令官総司令部（GHQ）によって日本の直接統治が行われた。日本国憲法は，米国による事実上の単独統治を経て，サンフランシスコ講和条約の発効後，公布・施行された。

正解 ✕ 戦後の日本の統治は，間接統治。また，日本国憲法は，サンフランシスコ講和条約の前に公布・施行されている。

第二次世界大戦後のわが国の外交に関する記述として，妥当なのはどれか。　　　　　　　　　　　　　　　　　　　　　【地方初級】

1 第3次吉田茂内閣は，全面講和路線を進め，サンフランシスコ講和会議において，全交戦国と講和条約を結び，日本は独立国としての主権を回復した。

2 鳩山一郎内閣は，自主外交路線を掲げ，日ソ平和条約を締結してソ連との国交を回復したが，その結果，日本の国際連合加盟は実現した。

3 岸信介内閣は日米安全保障条約を改定して日米関係をより対等にすることをめざしたが，吉田茂内閣当時に締結された同条約を改定できず，総辞職した。

4 佐藤栄作内閣は，沖縄返還協定を結び，翌年の協定発効をもって沖縄の日本復帰が実現されたが，広大なアメリカ軍基地は存続することになった。

5 田中角栄内閣は，日中共同声明によって中国との国交を正常化する一方，台湾との国交も継続した。

解説

❶ × 全面講和路線ではなく，ソ連などを除外して西側諸国とのみとの講和をめざす単独講和路線である。したがって，サンフランシスコ講和条約は全交戦国と結ばれたわけではない。

❷ × 「日ソ平和条約」ではなく，「日ソ共同宣言」である。なお，いまだにロシアとの間には平和条約は締結されていない。

❸ × 改定したので誤り。

❹ ○ そのとおり。なお，佐藤栄作内閣のもとでは，小笠原諸島の日本復帰も実現した（1968年）。

❺ × 中国を「唯一の合法政府」と認めたことで，台湾の国民政府と結んだ日華平和条約は失効し，国交が断絶された。ただ，その後も政経分離の方針の下，経済・文化など民間レベルでの関係は続いている。

もう1点GET
+α 明治以降の日本外交の概略

条約改正交渉	**❶**領事裁判権の撤廃（1894年）→**陸奥宗光**外相が日英通商航海条約で日清戦争前に実現 **❷**関税自主権の回復（1911年）→**小村寿太郎**外相が実現
日英同盟	1902年に締結→イギリスと同盟して**朝鮮半島の利権**を守ろうとした→日露戦争開戦の背景となった
国際連盟	日本は常任理事国に→満州国建国が認められず脱退（1933年）
日米安全保障条約	1951年締結→駐留米軍を認めた（しかし，アメリカの日本防衛義務なし）

1問1答

日英同盟は，清朝滅亡後の中国の利権を，ロシアを排除して日本と英国が中心となって配分することを目的として成立した同盟であり，これにより，台湾は日本の植民地となった。

正解 × 「中国の利権」ではなく，「朝鮮半島の利権」である。また，台湾が日本の植民地になったのは，日清戦争の結果（下関条約）である。

13 ヨーロッパ近代史

ランク **B**

超約 **ここだけ押さえよう！**

① フランス革命

1789	三部会を開催→議決方法が不平等→第三身分たちが**国民議会**を結成し，**テニスコート(球戯場)の誓い**を行う→**バスティーユ牢獄の襲撃**(フランス革命の開始)→国民議会が**人権宣言**を採択(ラ・ファイエットが起草)

> テニスコート(球戯場)の誓い
> 「新しい憲法を作るまでは国民議会は解散しない！」と誓ったんだね。

1791	**ヴァレンヌ逃亡事件**(ルイ16世が国外逃亡に失敗し，信頼を失う)→国民議会が1791年憲法を制定(立憲君主政を規定)→国民議会は解散→制限選挙で議員を選び**立法議会**を召集
1792	**ヴァルミーの戦い**でオーストリア・プロイセン軍を破るルイ16世を幽閉→男子普通選挙で**国民公会**が成立→**第一共和政**
1793	**ルイ16世をギロチンで処刑**→イギリス首相ピットが第1回対仏大同盟→**ジャコバン派**の**ロベスピエール**が恐怖政治を実行

> 1793年
> メートル法が制定され，度量衡の新基準が定められたよ。

1794	**テルミドール9日のクーデタ**→ロベスピエール処刑
1795	総裁政府を樹立(ジロンド派の穏健な共和政)
1799	**ブリュメール18日のクーデタ**→ナポレオンが総裁政府を倒す
1804	国民投票でナポレオンが皇帝に→**第一帝政**
1805	トラファルガーの海戦→イギリスに敗れる**アウステルリッツの三帝会戦**→オーストリア，ロシア連合軍を撃破

1806	**大陸封鎖令**→諸国にイギリスとの貿易を禁じる→ロシアが破る
1812	モスクワ遠征→寒さのあまりロシアに大敗
1815	ワーテルローの戦いで大敗→セントヘレナ島へ流刑→**ルイ18世が復位**→ブルボン朝復活（ウィーン体制＝正統主義の保守反動体制へ）
1852	ナポレオンの甥が国民投票で皇帝になる（ナポレオン3世）→**第二帝政**→産業革命を推進，パリ市街を改造，社会政策を推進など
1870	**普仏戦争**でフランスが敗れる→ナポレオン3世は捕虜となる→ヴェルサイユ宮殿で**ドイツ帝国の建国**が宣言

正統主義の保守反動体制アンシャン・レジームというよ。

ここだけ
② 産業革命

背景	**イギリス**が最初 ❶資源が豊富→綿花を輸入でき，石炭や鉄などは**自国**でとれた ❷**第二次囲い込み**→領主（領国の支配者）が土地を独占→農民が都市へ流入→豊富な労働力へ
内容	**ワットが蒸気機関を改良**→蒸気機関を動力とした機械が発明される 例：ミュール紡績機，カートライトの力織機，スティーヴンソンの蒸気機関車，フルトンの蒸気船
効果	• 産業資本家が登場→選挙権を獲得 • 労働者・商工業者→選挙権を獲得できず（**チャーティスト運動**） • 労働者は低賃金で長時間拘束の下で働く（人々の商品化） • **ラダイト運動（機械打ち壊し運動）**が起こる • 19世紀に各国へと産業革命が波及→19世紀末にアメリカがイギリスを抜く

17世紀から19世紀にかけてのフランスに関する記述として最も
妥当なのはどれか。　　　　　　　　　　　　　　　【国家一般職】

1 ルイ14世は，王権神授説に従い，「君臨すれども統治せず」と称し，
コルベールを首相に任命して立憲君主制を実現させ，メートル法
の普及やフランス語の統一に取り組んだ。

2 フランス人権宣言は，基本的人権，国民主権，積極的平和主義を
内容としており，これを受けて，パリの民衆がバスティーユ牢獄
を襲撃し，フランス革命が始まった。

3 ナポレオン・ボナパルトは，英国による大陸封鎖令に対抗するた
め出兵し，ロンドンを一時占領したものの，厳しい寒さのために
撤兵を余儀なくされた。

4 ナポレオン3世は，産業革命を推進し，パリ市街の改造や社会政
策に取り組んだが，普仏戦争でプロイセン軍に敗れ，捕虜となっ
た。

5 普仏戦争での敗北により，フランスは，ルイジアナ，アルジェリ
ア，マダガスカル島などの海外植民地を失い，その後，第三共和
政の下での経済の低迷が続いた。

解説

① × 「君臨すれども統治せず」は，イギリスのジョージ 1 世以降の国王の政治的立場を表した言葉である。ルイ14世は「朕は国家なり」と称し，絶対王政を確立した（太陽王と呼ばれた）。なお，コルベールは首相ではなく財務総監である。ルイ14世のもと，重商主義を推進した。

② × 因果がおかしい。バスティーユ牢獄の襲撃が先で，その後に人権宣言が発せられた。また，人権宣言に積極的平和主義は含まれていない。

③ × 大陸封鎖令は，ナポレオン・ボナパルトが発した。厳しい寒さのために撤兵を余儀なくされたのはモスクワ遠征である。

④ ○ そのとおり。ナポレオン 3 世は第二帝政を率いたが，1870年に普仏戦争に敗れて捕虜となり，廃位された（第二帝政の崩壊）。

⑤ × 普仏戦争での敗北により，第二帝政が崩壊したが，その結果，ルイジアナ，アルジェリア，マダガスカル島を失ったわけではない。

もう1点GET ＋α **18世紀のヨーロッパ**

ロシア	❶**ピョートル 1 世**：北方戦争でスウェーデンを撃破 →バルト海に進出。康熙帝即位時の清とネルチンスク条約を締結 ❷**エカチェリーナ 2 世**：啓蒙専制君主。**プガチョフの農民反乱**を契機に，農奴制を強化した
プロイセンとオーストリア	❶オーストリア継承戦争：プロイセン勝利→シュレジエン占領 ❷**7 年戦争**→オーストリアのマリア・テレジアは**シュレジエン地方の奪回**をめざし，フランスと同盟（**外交革命**）し戦うが敗戦

①問①答

ロシア帝国のエカチェリーナ 2 世は，プガチョフの農民反乱を機に農奴制を廃止し，啓蒙専制君主として，農業の近代化をめざしてコルホーズやソフホーズなどを設けた。

正解 × プガチョフの農民反乱を契機に農奴制を強化した。コルホーズやソフホーズは，スターリンによる第一次五か年計画において設けられた農場。

14 中国近代史

ランク B

超約 ここだけ押さえよう！

① 清王朝の繁栄

　1616年に女真族（満州族）の**ヌルハチ**が後金を建国。1636年に**ホンタイジ（2代）**が国号を清に改称。1644年に**順治帝（3代）**が呉三桂と結び李自成の乱を平定。これにて明が滅亡。

康熙帝（4代）	1673〜81年：三藩の乱→呉三桂ら明の武将による反乱を鎮圧 1683年：明の遺臣である鄭成功の一族を倒し，中国全土を平定→海禁政策も解除 1689年：**ネルチンスク条約**→ロシアの**ピョートル1世**との間で締結した条約。東北の国境を確定
雍正帝（5代）	1724年：**全面的なキリスト教の布教禁止** 1727年：キャフタ条約→ロシアとの間でモンゴル方面の国境を画定
乾隆帝（6代）	領土が**中国史上最大**。藩部の拡大に対処するため理藩院を整備し，公行が貿易を管理→晩年には清が衰退し始める

全面的なキリスト教の布教禁止
もともと康熙帝の時代に典礼問題で，イエズス会以外の布教を認めていなかったんだ。

※清の統治政策は，満漢併用制，文字の獄，辮髪の強制の3つ。

② 清の滅亡と中華民国

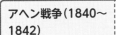

アヘン戦争（1840〜1842）	**アヘンの密輸問題**でイギリスと戦う→敗れる→**南京条約**（広州や上海など5港を開港，**香港を割譲**）

アヘンの密輸問題
林則徐がアヘンの取締りを強化したよ。

太平天国の乱 (1851)	スローガン「滅満興漢」→洪秀全が指揮し建国→天朝田畝制度→内部対立→義勇軍(郷勇)や常勝軍に敗れて1864年に滅亡

> 天朝田畝制度
> 太平天国の土地政策で,男女均等に土地を配分するという政策だよ。

アロー戦争(1856〜1860)	清がイギリス・フランス連合軍と戦う→敗れる→天津条約の批准を拒否→2国は北京を攻撃→北京条約(天津の開港,九龍半島南部をイギリスに割譲など)
洋務運動(1860前半〜1890前半)	「中体西用」をスローガンとして掲げて行った富国強兵策→西洋の軍事技術を導入
戊戌の政変(1898)	康有為らが日本の明治維新にならって政治の近代化を図ろうとした(変法運動)→康有為は光緒帝のもとに政治改革に着手した→保守派の西太后のクーデターで失敗(戊戌の政変)
義和団事件(1900)	列強の進出に対して,山東省の農村で生まれた宗教的武術集団が「扶清滅洋」を唱えて武装蜂起→列強8か国の連合軍に鎮圧される
辛亥革命(1911)	鉄道国有化令→四川暴動→これを機に武昌の軍隊の中にいた革命派が蜂起し辛亥革命へ
中華民国の成立(1912)	中華民国の成立を宣言(孫文が臨時大総統)→宣統帝溥儀の退位(袁世凱が孫文の大総統の地位を受け継ぐとの密約あり)→清滅亡→袁世凱が臨時大総統就任

> 孫文
> 孫文はすでに1905年に中国同盟会を東京で組織していて,三民主義(民族の独立,民権の伸長,民生の安定)を唱えたよ。

21か条の要求(1915)	日本政府(第二次大隈重信内閣)に21か条の要求を袁世凱政府が突きつけられる(山東省のドイツ権益を要求)→受け入れる
五・四運動(1919)	パリ講和会議で日本の21か条の要求の破棄を提起→認められず→北京市民が大規模な排日運動を展開

清朝後期に関する記述A〜Dのうち，妥当なもののみをすべて挙げているのはどれか。 【国家一般職】

A インドから大量のアヘンが流入するようになったのに対し，林則徐がアヘンを没収廃棄処分にする強硬な策を採ったことにより，ドイツとのアヘン戦争が起きた。

B キリスト教の影響を受けた洪秀全は，広西省で蜂起して太平天国と称した。清朝打倒を掲げて運動したが，指導者間の争いなどにより次第に弱体化した。

C 義和団は「扶清滅洋」をスローガンに掲げ，北京に入城し，列国の公使館を包囲した。清朝はこれを支持して宣戦布告したが，英米日露などの列国側は，義和団と清軍を破った。

D 清朝が列国からの借款を得るため民有鉄道の国有化を発表すると，各地で反対が起こり清朝から独立する省が相次ぎ，その後，南京において袁世凱を臨時大統領とする中華民国が成立した。

1 A

2 A，B

3 B，C

4 C，D

5 D

解説

A ✕ アヘン戦争はドイツではなくイギリスとの戦争である。ちなみに，林則徐は清朝の漢人官僚で，アヘンの没収，廃棄処分を行った。

B ◯ 洪秀全は「滅満興漢」をスローガンに清朝の打倒をめざした。太平天国を建てて政治を行ったが，内部対立により弱体化し，清朝の漢人官僚が組織した義勇軍（郷勇）や外国人軍人を指揮官とする常勝軍に敗れて，1864年に滅亡した。

C ◯ 義和団事件の記述として正しい。列強8か国の連合軍に鎮圧された。

D ✕ 南京において革命派が選出したのは，臨時大統領ではなく臨時大総統である。また，選出されたのは袁世凱ではなく孫文である。すなわち，革命派は，孫文を臨時大総統に選出して，1912年1月に中華民国の建国を宣言した。

もう1点GET ＋α 近代から現代へ（二党関係）

中国共産党	1921年にコミンテルン（共産インターナショナル）の指導により上海で結成。初代委員長は**陳独秀**。その後，**毛沢東**は国民政府軍の攻撃を受けて，西に向けた大移動（**長征**）→1937年に延安を臨時政府の首都にする
中国国民党	1919年に**孫文**が結成。**蒋介石**が引き継ぐ→1926年に北伐を開始→上海クーデタで共産党を排斥→1936年に**西安事件**（張学良が蒋介石を軟禁）が起こる→**第二次国共合作へ**

① 問 ① 答

蒋介石は，共産党軍の攻撃を受けて，西に向けた大移動を行う長征を行い，延安を中心とする根拠地を確保した。

正解 ✕ 蒋介石ではなく「毛沢東」，共産党軍の攻撃ではなく「国民政府軍の攻撃」。

15 第一次世界大戦から第二次世界大戦

超約 **ここだけ押さえよう！**

① 第一次世界大戦（1914〜1918）

原因	**サライェヴォ事件**→オーストリアがセルビアに宣戦布告→第一次世界大戦開始
構図	**三国同盟** （ドイツ・オーストリア・**イタリア**） **三国協商** （イギリス・フランス・ロシア）
戦況	● イギリス→オスマン帝国領の分割領有についてフランス・ロシアと密約を結ぶ（**サイクス・ピコ協定**）。パレスチナの地を巡り**フサイン・マクマホン協定**でアラブ人に独立を約束，反面**バルフォア宣言**でユダヤ人の復帰運動を支援（三枚舌外交） ● ロシア→途中で戦線離脱（ロシア革命「**3月革命と11月革命**」の影響）→**ブレスト・リトフスク条約**でドイツと単独講和（ロシアに不利な内容） ● アメリカ→最初は**不参加**→物資供給で債務国から債権国へ→**ドイツの「無制限潜水艦作戦」**を見てウィルソン大統領が参加
講和	● **パリ講和会議**で**ヴェルサイユ条約**を締結（ヴェルサイユ体制）→ドイツは海外領土をすべて失い，多額の賠償金を課せられる ● ウィルソン大統領が「平和14か条の原則」を提唱→民族自決（東欧のみ），秘密外交の禁止，国際連盟設立（本部ジュネーブ）→常任理事国＝英，仏，伊，日（アメリカは上院の否決で参加できず）

> **イタリア**
> イタリアは三国同盟を結んでいたけど，離脱して1915年に三国協商側で参戦したんだ。日本も日英同盟があったから三国協商側だね。

> **3月革命と11月革命**
> 3月革命では，ニコライ2世が退位し，帝政（ロマノフ朝）が崩壊，11月革命では，レーニン率いるボリシェヴィキ（多数派）が武装蜂起し，ケレンスキー率いる臨時政府を倒したよ。

② 第二次世界大戦

原因	ドイツが**オーストリア併合**(1938.3)→ミュンヘン会談(1938.9)でチェコの**ズデーテン地方**をドイツに割譲(融和策)→ドイツが**ポーランド侵攻**(1939)→イギリス・フランスがドイツに宣戦布告し応戦
戦況	ドイツがフランスに侵攻・降伏させる→イギリスは屈服せずに応戦→**ドイツ軍がソ連に侵入**(1941)→ソ連がドイツ軍を降伏させる(形勢が転換)→**ノルマンディー上陸作戦**(第二戦線)(1944)→パリを解放→ドイツ降伏(1945)

1945	ヤルタ会談でアメリカとソ連で意見の対立が生まれる
1947	アメリカの**トルーマン大統領**は，**共産党封じ込め政策**を宣言し，ソ連の拡大を阻止しようとした(トルーマン・ドクトリン)
1950	**朝鮮戦争勃発**→アメリカは大韓民国を支援，ソ連は北朝鮮を支援→アメリカ中心の軍隊が派遣，これに対して**中国が人民義勇軍**を北朝鮮へ派遣し応戦
1962	**キューバ危機**→ソ連がキューバにミサイル基地を建設→ケネディ大統領がキューバ海上を封鎖→**ソ連のフルシチョフがミサイルを撤去した**ことで**核戦争に至らず**→ホットライン協定
1965	アメリカが**北ベトナムの空爆**を開始→ベトナム戦争が泥沼化
1989	11月:ベルリンの壁崩壊 12月:**マルタ会談**(米:ブッシュ〈父〉，ソ連:ゴルバチョフ)で**冷戦終結**
1990	東西ドイツの統一(東ドイツは西ドイツに吸収された)
1991	**アルマアタ宣言**→ソ連が崩壊→独立国家共同体(CIS)へ

> 冷戦終結
> 冷戦の始まりと終わりをとらえて「ヤルタからマルタまで」といわれるね。

第一次世界大戦に関する記述として，妥当なのはどれか。

【地方初級】

1 　第一次世界大戦は，ドイツを中心とする三国協商と，イギリスを中心とする三国同盟の対立を原因として始まった。

2 　大戦中，交戦国は互いに中立国や諸民族に対して，戦後の独立や自治を約束する秘密条約を結んで味方につけようとした。

3 　大戦が始まると日本は中国に対して二十一か条の要求を行ったが，国際的非難を浴びてすべて撤回した。

4 　アメリカは大戦が始まると直ちに参戦して，イギリスやフランスに物資や資金を提供した。

5 　大戦後，ヴェルサイユ条約によって国際連盟が成立し，民族自決のもとでアフリカの国々が相次いで独立した。

(解説)

❶ ✕　三国協商と三国同盟が逆である。

❷ ◯　そのとおり。イギリスはフサイン・マクマホン協定でアラブ民族に戦後の独立を約束して，オスマン帝国に対する反乱を起こさせたり，インドの自治を約束して，100万人以上のインド兵を義勇軍として動員したりした。一方，ドイツもフィンランド人・ポーランド人・ウクライナ人に戦後のロシアからの独立を約束していた。

❸ ✕　日本が中国（袁世凱政府）に二十一か条の要求を行った点は正しいが，日本はこの要求をほとんど承認させたのであって，撤回はしていない。

❹ ✕　アメリカは当初，中立を保っていた。しかし，ドイツの無制限潜水艦作戦をきっかけに，1917年4月に正式に参加した。

❺ ✕　民族自決は東欧のみ適用された。アジアやアフリカの植民地には適用されなかった。なお，アジア・アフリカで独立国が相次いで生まれるのは第二次世界大戦後である。

もう1点GET

+α 戦間期

アメリカ	フランクリン・ローズヴェルト大統領が**ニューディール政策**を実施
イギリス	マクドナルド挙国一致内閣（労働党）(1931) →**スターリング・ブロック**(1932)
ドイツ	ヒトラーが首相に→**全権委任法**(1933)
ソ連	**5か年計画**→世界恐慌の影響を受けず

① 問 ① 答

戦間期には各国は世界恐慌への対応を迫られたが，ソ連はスターリンが5か年計画を実行したため，影響を受けなかった。

正解 ◯ そのとおり。

厳選問題

冷戦に関する記述として，妥当なのはどれか。 　　　　　　【地方初級】

1 1947年，アメリカのトルーマン大統領は，共産主義の進出とソ連の拡大を阻止するための封じ込め政策を宣言した。

2 1950年に勃発した朝鮮戦争では，アメリカ軍は大韓民国を支援し，ソ連は朝鮮民主主義人民共和国側を支援して人民義勇軍を派遣した。

3 1962年，ソ連がキューバにミサイル基地を建設しようとしたのに対して，アメリカはミサイルの搬入を阻止したことから，米ソの間で局地的な戦闘が開始された。

4 1965年，アメリカは北ベトナムへの北爆を開始し，南ベトナム解放民族戦線のベトナム統一を支援した。

5 1989年，マルタ会談でアメリカのレーガン大統領とソ連のエリツィン大統領は，軍縮を促進することに合意し，冷戦の終結を宣言した。

解説

❶ ○ そのとおり。トルーマン・ドクトリンである。これは1947年に表明された。

❷ × 朝鮮民主主義人民共和国（北朝鮮）を支援して人民義勇軍を派遣したのは，中国である。

❸ × 「米ソの間で局地的な戦闘が開始された」との記述が誤り。ソ連がキューバからミサイルを撤去したので，軍事衝突は回避された。

❹ × 南ベトナム解放民族戦線はベトナム民主共和国（北ベトナム）と連携してベトナム統一をめざす組織で，1960年に結成された。アメリカが南ベトナム解放民族戦線のベトナム統一を支援したのではない。

❺ × 「レーガン大統領」ではなく「ブッシュ大統領」。また，「エリツィン大統領」ではなく，「ゴルバチョフ書記長」である。

 もう1点GET
+α 東西ドイツ

1948	4か国分割占領の下に置かれていたドイツで**ベルリン封鎖**→封鎖解除後，東西ドイツは分裂
1961	**ベルリンの壁構築**→東ドイツが国民の流出防止のため作る
1989	ベルリンの壁が崩壊
1990	東西ドイツの統一

①問①答

1961年にベルリンの壁が構築され，東西ドイツが分裂した。

正解 ✕ ベルリン封鎖の解除後の1949年に東西ドイツは分裂した。

16 世界の気候・農業

ランク A

超約 ここだけ押さえよう！

ここだけ① ケッペンの気候区分と農業と土壌

気温と降水量をもとに，植生との関係に着目して５つの気候帯に分類。

熱帯（A）	熱帯雨林気候（Af）	密林（ブラジル＝**セルバ**，コンゴ・インドネシア＝**ジャングル**），気温の年較差小さい，**焼畑農業**，**ラトソル**（赤色土壌）→酸性度㊣高
	サバナ気候（Aw）	疎林（オリノコ川流域＝リャノ，ブラジル＝**カンポ**，パラグアイ・アルゼンチン＝**グランチャコ**），**長草草原**，**雨季と乾季が明瞭**，気温の年較差㊀小，**ラテライト**（赤色土壌）→酸性度㊣高
乾燥帯（B）	砂漠気候（BW）	年降水量**250mm未満**，気温の日較差㊀大，**オアシス農業**，植生はほとんどなし，**砂漠土**（**強アルカリ性**），ワジ（涸れ川）

焼畑農業
熱帯雨林を焼き払い，草木灰を肥料にキャッサバやタロイモなどを栽培するんだ。

オアシス農業
地下水路を整備し，灌漑（農地に水を引く）するんだ。イランではカナート，アフガニスタンではカレーズ，北アフリカではフォガラというよ。

	ステップ気候(BS)	年降水量250〜500mm，砂漠の周辺に位置，**長い乾季と短い雨季**，**短草草原**，遊牧，**チェルノーゼム**（ウクライナ〜ロシア西南部）→黒色土壌で小麦栽培に使える肥沃度の高い土，栗色土→**グレートプレーンズ**や乾燥パンパに広がる土壌

グレートプレーンズ
主にアメリカの西経100度以西のことをいう。乾燥した地域だよ。

温帯(C) 最寒月が−3℃以上18℃未満，最暖月10℃以上	温暖湿潤気候(Cfa)	中緯度の大陸**東岸**，気温の年較差㊤，**季節風**の影響で四季の変化あり，**常緑広葉樹林**（照葉樹林）や**落葉広葉樹林**，混交林が分布
	西岸海洋性気候(Cfb)	中緯度の大陸**西岸**，**夏は涼しく冬は暖かい**，気温の年較差㊨，降水量の変化㊨，**偏西風**，**北大西洋海流(暖流)**，落葉広葉樹林，**酪農や混合農業**が行われる
	地中海性気候(Cs)	**夏は高温乾燥，冬は温暖降水あり**。乾燥に強い硬葉樹（コルクガシ，オリーブ）が分布，夏は乾燥に強いブドウ，オレンジ栽培。冬は小麦栽培
	温暖冬季少雨気候(Cw)	中国南部→夏は高温多雨，冬は温暖少雨，常緑広葉樹林（照葉樹林）
冷帯(D) 最寒月が−3℃未満，最暖月10℃以上	冷帯湿潤気候(Df)	南部に落葉広葉樹と針葉樹の混交林，北部に**タイガ（針葉樹林の純林）**，**ポドゾル**（灰白色の土壌）→酸性度�
	冷帯冬季少雨気候(Dw)	ユーラシア大陸北東部のみに存在（シベリア東部），最寒地点
寒帯(E)	ツンドラ気候(ET)	短い夏に**永久凍土（ツンドラ）**の表層がとける。**地衣類・蘚苔類**（カビ，コケ）の湿草原
	氷雪気候(EF)	年中雪氷，植生なし，**アネクメーネ（非居住地域）**

酪農や混合農業
酪農は乳牛を飼育して乳製品を作るよ。混合農業は，穀物栽培と家畜の飼育を組み合わせたものだ。

　世界の各地域における気候に関するAおよびBの記述がいずれも正しい組合せはどれか。　【地方初級】

1 中国南部
　　A：年間を通じて降水量が少なく，丈の低い草原が広がっている。
　　B：シイ，クスなどの照葉樹林が多く見られる。

2 イタリア南部
　　A：夏は高温で乾燥する。
　　B：オリーブ，ブドウなどの樹木作物の栽培が盛んである。

3 アメリカ合衆国東部
　　A：常緑広葉樹林や落葉広葉樹林と針葉樹林の混交林が見られる。
　　B：温帯気候の中では，気温の年較差は比較的小さい。

4 イギリス
　　A：冬は偏西風の影響で，月平均降水量が200mmを超えるほど
　　　多い。
　　B：ブナ，カシなどの落葉広葉樹林が多く見られる。

5 サウジアラビア
　　A：雨季と乾季の区別が明瞭な気候である。
　　B：ほぼ全土にわたり，植生の生育が難しい塩性土壌が見られる。

解説　　　　　　　　　　　　　　　　　　　　　　　正答 **2**

❶ ✕　A：降水量が少ないのは，冬である。中国南部は温暖冬季少雨気候
　　　　（Cw）である。
　　　B：正しい。

❷ ◯　A：正しい。イタリア南部は地中海性気候（Cs）である。
　　　B：正しい。

❸ ✕　A：正しい。アメリカ合衆国東部は温暖湿潤気候（Cfa）である。
　　　B：気温の年較差は大きい。

❹ ✕　A：西岸海洋性気候は年間降水量が比較的少ない。イギリスは西岸海
　　　　洋性気候（Cfb）である。
　　　B：ブナは落葉広葉樹だが，カシは常緑広葉樹（照葉樹）である。

❺ ✕　A：雨季と乾季の区別が明瞭なのはサバナ気候（Aw）である。サウジア
　　　　ラビアは砂漠気候（BW）である。
　　　B：正しい。塩性土壌とは砂漠土のことであり，強アルカリ性である。

もう1点GET +α 温帯の主要都市

温暖湿潤気候（Cfa）	上海，ワシントン，ブエノスアイレス，シドニー
西岸海洋性気候（Cfb）	ロンドン，パリ，メルボルン
地中海性気候（Cs）	ローマ，サンフランシスコ（カリフォルニア），ケープタウン
温暖冬季少雨気候（Cw）	香港（華南），プレトリア

①問①答

カリフォルニアは，（　　　　　）気候である。

正解　地中海性

17 世界各国の地誌

ランク
Ⓐ

超約 ここだけ押さえよう！

① 東南アジア

タイ	唯一独立を保った国，**チャオプラヤ川流域**→**米**の輸出
マレーシア	旧宗主国は**イギリス**，イスラーム教国，**ブミプトラ(土地の子)政策**，パーム油の生産，**ルックイースト**
シンガポール	住民の多くが中国系(華人)，**マレーシアから独立**，マラッカ海峡，アジアNIES
ベトナム	旧宗主国は**フランス**，インドシナ戦争で独立，ベトナム戦争→1976年南北統一，**ドイモイ(刷新)**，メコン川下流域→米の輸出，コーヒーの輸出
カンボジア	**アンコールワット(世界文化遺産)**，ポル＝ポト政権
フィリピン	スペイン→アメリカ→独立，7,000の島々(島嶼国家)，**カトリックの国**，火山多い，北部の**ルソン島**が最大，南部のイスラーム教徒(モロ族)との対立
インドネシア	旧宗主国は**オランダ**，人口約2億8,000万人，**最大のイスラーム教国**，1万7,000余りの島々(島嶼国家)，石油の産出(2016年にOPEC脱退)，**ジャカルタ**はプライメートシティ(人口の3分の2がジャワ島に集住)，パーム油の生産

> ジャカルタ
> 2024年から首都をジャワ島のジャカルタからカリマンタン島(ボルネオ島)東部に移転するんだ。新首都名は「ヌサンタラ」だよ。

※ASEAN原加盟国は，タイ，マレーシア，シンガポール，インドネシア，フィリピン。現在は10か国だが，東ティモールが11か国目となることが承認された。

② ヨーロッパ

イギリス	産業革命発祥の地，森林面積が約13%，<u>ドーヴァー海峡</u>でフランスとつながる（ユーロトンネル），<u>北アイルランド問題</u>（カトリック系の住民が分離独立運動）
フランス	<u>**面積が西ヨーロッパ最大**</u>，カトリックの多い国，<u>**西ヨーロッパ最大の農業国**</u>，原発依存度が高い
ドイツ	<u>**西ヨーロッパで一番人口が多い**</u>， **ヨーロッパ最大の工業国**→**ライン川**沿いに**ルール工業地帯**
イタリア	ラテン系の国，カトリックの国，<u>南北格差あり</u>（北部は工業が発展，南部は地中海式農業）
スペイン	<u>ピレネー山脈</u>が走る，東部は地中海式農業，自動車産業が盛ん（バルセロナ），<u>**ジブラルタル海峡**</u>でモロッコとつながる
ノルウェー	水産業・海運業が盛ん（サケ・マス類の輸出），<u>ソグネフィヨルド</u>，<u>北海油田</u>で原油の産出
スウェーデン	世界有数の<u>福祉国家</u>，国土の大半が森林→製材やパルプ，製紙工業が盛ん

> **ライン川**
> 源流がスイスで，ドイツ，フランス，オランダを流れる国際河川だよ。

> **ピレネー山脈**
> <u>イベリア半島</u>の付け根を東西に走る山脈で，<u>新期造山帯</u>に属するんだ。ちなみに，アルプス山脈（モンブランなど）も新期造山帯だよ。

③ アメリカ

- 西部は<u>ロッキー山脈</u>（新期造山帯），東部は**アパラチア山脈**（古期造山帯）
- 中西部には**プレーリー**と呼ばれる肥沃な黒色土壌の平原地帯が広がる
- ノースダコタ州＝カナダから続く**春小麦地帯（北）**，カンザス州＝**冬小麦地帯（南）**，五大湖南岸からアイオワ州＝**コーンベルト（北）**，ジョージア州，アーカンソー州，テキサス州＝**コットンベルト（南）**
- 北緯37度より南側＝<u>**サンベルト**</u>，シリコンバレー＝IT産業

次の図に関するア～エは，ヨーロッパの地形についての記述であるが，A～Dに該当する名称の組合せとして，妥当なのはどれか。

【地方初級】

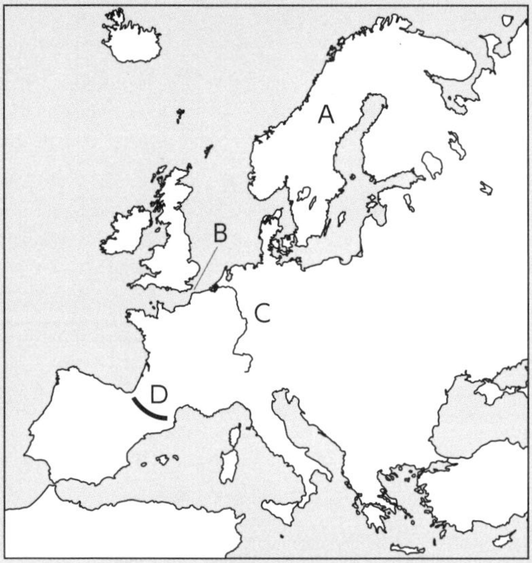

ア　A半島のノルウェー海側にはフィヨルドが見られる。

イ　1994年，B海峡にユーロトンネルが開通した。

ウ　C川は，国際河川の一つであり，オランダで北海に注ぐ。

エ　D山脈は，イベリア半島の付け根を東西に走る山脈である。

	A	B	C	D
1	スカンディナヴィア	ジブラルタル	ドナウ	ピレネー
2	スカンディナヴィア	ドーヴァー	ドナウ	アルプス
3	スカンディナヴィア	ドーヴァー	ライン	ピレネー
4	バルカン	アドリア	ドナウ	アルプス
5	バルカン	ジブラルタル	ライン	ピレネー

解説

A スカンディナヴィア半島	「バルカン半島」はヨーロッパ南東部に位置している。
B ドーヴァー海峡	ジブラルタル海峡はスペインとモロッコを隔てる海峡。
C ライン川	ドナウ川はドイツ，オーストリアなど10か国を通り，黒海に流れ出る国際河川。「母なるドナウ」と呼ばれている。
D ピレネー山脈	アルプス山脈はヨーロッパの大山脈で「ヨーロッパの屋根」と呼ばれている。最高峰はモンブラン。

6章 地理

17 世界各国の地誌

もう1点GET
+α ロシア

- ウラル山脈の**西側**＝**ヨーロッパロシア**，ウラル山脈の**東側**＝**シベリアおよび極東ロシア**
- ヨーロッパロシアには，東ヨーロッパ平原が広がっている
- **ロシア正教**が多数を占める
- **チェチェン人（イスラーム教徒）**のように独立を主張している共和国もある
- 近時，ウクライナに侵攻

1問1答

カフカス山脈の西側のヨーロッパロシアには，東ヨーロッパ平原が広がっている。

正解 ✕ カフカス山脈ではなく，「ウラル山脈」である。

次の文は，アメリカ合衆国の産業に関する記述であるが，文中の空所A～Dに該当する語の組合せとして，妥当なのはどれか。

【地方初級】

アメリカ中西部には，　A　と呼ばれる肥沃な黒色土壌の平原地帯が広がる。ノースダコタ州は，カナダから続く　B　となっている。また，五大湖南岸地帯からアイオワ州にかけては，　C　と呼ばれ，飼料作物の輪作と家畜飼育を組み合わせた農業が伝統的に行われてきた。

五大湖沿岸地域は，重工業を中心とした工業地域であった。1970年代頃からは，北緯37度より南側の　D　と呼ばれる地域に，新しい先端技術産業地域が形成されている。

	A	B	C	D
1	プレーリー	春小麦地帯	コーンベルト	サンベルト
2	プレーリー	春小麦地帯	コットンベルト	サンベルト
3	プレーリー	冬小麦地帯	コーンベルト	フロストベルト
4	フィードロット	冬小麦地帯	コットンベルト	フロストベルト
5	フィードロット	冬小麦地帯	コーンベルト	フロストベルト

解説

A プレーリー　アメリカ中西部に広がる肥沃な平原はプレーリーである。フィードロットは，穀物飼料を投与して牛を効率的にかつ大量に肥育する経営方式である。

B 春小麦地帯　冬小麦地帯はより南のカンザス州が中心である。北＝春小麦地帯，南＝冬小麦地帯と覚えるとよい。

C コーンベルト　コーンベルトはとうもろこし栽培が盛んな地域である。コットンベルトは綿花栽培が盛んな地域で，ジョージア州，アーカンソー州，テキサス州などの南部地域をいう。

D サンベルト　フロストベルトは，37度以北をいう。

もう1点GET ＋α 大河

長江	中国最長の大河。世界最大の三峡ダムがある。なお，長江に次ぐ中国第二の大河は黄河。黄河流域には三門峡ダムがある
アマゾン川	ブラジルの北部を東に流れ，大西洋に注ぐ**世界最大の流域面積**を誇る河川。河口付近にはセルバ(熱帯雨林)が広がる
ナイル川	アフリカ大陸を南北に流れる**世界最長の河川**。下流域には円弧状三角州が形成
ミシシッピ川	北アメリカ最長の大河。アメリカ中央部を南北に貫流し，メキシコ湾に注ぐ。河口付近には鳥趾状三角州が形成

1問1答

ドナウ川は，ロシア西部を流れるヨーロッパ最長の大河である。モスクワのヴォルダイ丘陵に源を発し，カスピ海に注いでいる。

正解 ✕ ヴォルガ川の誤り。

18 地形

ランク
A

超約 ここだけ押さえよう！

① 沖積平野

扇状地	扇頂→傾斜が急 **扇央**→水が伏流し**水無川**。果樹栽培や桑畑，畑作などで利用 **扇端**→**湧水**が見られる。**水田や集落**として利用
氾濫原	**自然堤防**→蛇行河川の氾濫によって形成された微高地（集落や畑などで利用）。堤防上は水はけがよく，洪水による被害が少ない 後背湿地→自然堤防の背後に広がる湿地。水はけが悪く，水田に利用される
三角州（デルタ）	分流して複数の川になる。**地盤は軟弱**で砂泥が堆積。極めて低湿だが，**土壌は肥沃**。農地や人口密集地になることもある。ナイル川河口（円弧状三角州），ミシシッピ川河口（鳥趾状三角州）など

② 海岸地形

離水海岸	地盤が隆起，または海面が下降して海底が現れてできた海岸。海岸平野（九十九里），海岸段丘（室戸岬，足摺岬）など
沈水海岸	地盤が沈降，または海面が上昇してできた海岸 ● **リアス海岸**：V字谷が沈水した海岸で，鋸歯状の海岸線となる。水深が大きい。スペイン北西部，三陸海岸など ● フィヨルド：氷食谷である**U字谷**が沈水。水深が大きく，入り江の奥行きが長い。ノルウェーのソグネフィヨルドが有名 ● 三角江（エスチュアリー）：河口が沈水してできたラッパ状の入り江。水深が大きく開けているので，**大貿易港**が発達

ここだけ ③ その他の地形

カルスト地形	石灰岩の溶食作用で形成。農業には不適。ドリーネ，ウバーレ，鍾乳洞
氷河地形	氷食谷(U字谷)，カール(圏谷)，モレーン(堆石)，ホルン
砂浜海岸	沿岸流による堆積作用でできる。砂嘴，砂州，トンボロ(陸繋砂州)，陸繋島，**ラグーン(潟湖)**＝サロマ湖

砂嘴
沿岸流で運ばれた砂礫(砂や小石)が，入り江の一方から海中に細長く堤状に堆積してできた地形だよ。北海道の野付崎が有名。

ラグーン(潟湖)
砂州によって海から切り離されてできた湖だよ。汽水湖といって海水と淡水が混じった低塩分の湖水になるよ。

6章 地理

18 地形

ここだけ ④ 日本の地形

- 日本の国土面積は約37万8,000km²。最南端は沖ノ鳥島
- 本州の中央部には，**フォッサマグナ西縁**に位置する**糸魚川・静岡構造線**(断層線) が南北を縦断
- 西南日本を横断する断層(**中央構造線＝メジアンライン**)が走る→北側を**「内帯」**，南側を**「外帯」**という
- 本州の中央部には，3,000m級の飛騨山脈(北アルプス)，木曽山脈(中央アルプス)，赤石山脈(南アルプス)が連なる(日本アルプス)
- 日本列島の近海の海底には**大陸棚**がある
- **太平洋側の大陸棚**の先には，海溝がある(日本海溝，伊豆・小笠原海溝)
- 東日本の太平洋沖→赤道付近から北上する**暖流の黒潮(日本海流)**と千島列島から南下する**寒流の親潮(千島海流)**がぶつかる潮目→豊かな漁場

わが国の地形に関する記述として最も妥当なのはどれか。

【国家一般職】

1 河川が山地を深く刻み込むと，すり鉢状の窪地であるカールやU字谷などを形成する。海岸近くにある山地で形成されたカールは，海面の上昇によって水没するとリアス海岸となる。

2 河川より山地から押し出された土砂は，平地へ流れ出すところで洪積台地を形成する。洪積台地上では，河川は，勾配が急なため伏流して水無川になることが多い。

3 河川の中流域では，水はけが悪い扇状地が形成される。扇状地上には，氾濫原，後背湿地，砂嘴など河川が作るさまざまな地形が見られ，後背湿地は水田などに利用されている。

4 河口付近では，河川の流れが弱まり，そこに細かい砂や泥が堆積して，三角州（デルタ）が見られる場所がある。三角州は，低平なため洪水や高潮などによる浸水を受けやすい地形である。

5 近くに土砂が流れる河口がある海岸では，砂が堆積して自然堤防ができて，この堤防によって仕切られた潟湖（ラグーン）や三日月湖といった汽水湖が形成されることが多い。

解説

① × 河川が山地を深く刻み込んでできるのは，U字谷ではなく「V字谷」である。また，カールは氷河の侵食によって山頂付近に形成された，半球状の窪地の地形である。

② × 洪積台地ではなく「扇状地」である。また，水無川になるのは，「扇央」である。

③ × 扇状地ではなく「氾濫原」である。氾濫原には，自然堤防やその背後に後背湿地が形成される。砂嘴は海岸地形であるため，河川の中流域とは関係ない。

④ ○ そのとおり。三角州の地盤は軟弱で砂泥が堆積している。極めて低湿だが，土壌は肥沃である。

⑤ × 自然堤防ではなく「砂州」である。三日月湖とは，蛇行している河川が流路を変え，取り残されてできた湖である。

もう1点GET +α 世界の山脈

アルプス山脈	**新期造山帯**に属する。西欧最高峰の「モンブラン」が有名
ヒマラヤ山脈	**新期造山帯**に属する。世界最高峰の「エヴェレスト」がある
ロッキー山脈	**新期造山帯**に属する。北アメリカ西部を縦走する大山脈。なお，北アメリカの南東部にあるのは**古期造山帯**に属するアパラチア山脈
アンデス山脈	**新期造山帯**に属する。南アメリカ大陸西岸を南北に縦走

①問①答

グレートディヴァイディング山脈は，オーストラリア大陸中央部を南北に走っている。この山脈の中央部には，観光地としても知られているウルル（エアーズロック）がある。

正解 ✕ 「オーストラリア大陸東岸部」の誤り。「ウルル（エアーズロック）」は，オーストラリア大陸のほぼ中央に位置する。

19 漢字

超約 ここだけ押さえよう！

① 用法

　漢字に直したときに，その字の使い方が同じになるか否かを問う問題が出題される。

喪が明ける	空き缶を捨てる
全力を挙げる（上げるも可）	腕前を上げる
物価の上昇を抑える	証拠を押さえる
余人をもって代え難い	説明文の文を差し替える
迷惑を掛ける	電線を架ける（掛けるも可）
窓を開けて換気する	注意喚起をする
多岐にわたる	機運に乗じる
機転が利く	薬が効く
幸福を追求する	上層部の責任を追及する
事態が紛糾する	真相を究明する
緊迫した雰囲気	謹慎処分を言い渡す
堅実な運営方針	賢明な判断
時間を割いて話をする	二人の仲を引き裂く
最終審査に挑む	補佐を頼まれた
試行錯誤を重ねる	予算を削減することができた
損害を弁償する	演劇を鑑賞する

屈指の強豪チーム	脂質の摂りすぎは病のもとになる
手数料を徴収する	勧善懲悪を見るのが好きだ
確認を徹底する	発言を撤回する
青息吐息で働く	外壁を塗装する
路面が凍結する	新しい病棟を建てる
悪事を謀る	解決を図る
重さを量る	時間を計る
逃亡計画を立てる	あまりにも無謀なものであった
ランプの下で本を読む	酒が元で喧嘩する

ここだけ ② 読み

間違いやすい漢字の読みを問う問題が出題される。

灰汁	あく	悪戯	いたずら	隠蔽	いんぺい
穿った	うが	団扇	うちわ	会釈	えしゃく
剃刀	かみそり	間隙	かんげき	既成	きせい
教鞭	きょうべん	訓読	くんどく	昂然	こうぜん
流石	さすが	疾病	しっぺい	羞恥	しゅうち
定石	じょうせき	焦眉	しょうび	所望	しょもう
辛辣	しんらつ	壮語	そうご	痩身	そうしん
知悉	ちしつ	辻褄	つじつま	呈色	ていしょく
陶冶	とうや	曇天	どんてん	長閑	のどか
反芻	はんすう	彼岸	ひがん	病棟	びょうとう
風貌	ふうぼう	俯瞰	ふかん	望外	ぼうがい
身形	みなり	遊山	ゆさん	夢現	ゆめうつつ

下線部の漢字が正しいものはどれか。 【地方初級】

1 転校してきた小学生は新しい環境への<u>準応性</u>が高かったので，すぐに慣れた。

2 環境問題を解決するため，日本はアメリカ合衆国と新しい条約を<u>締決</u>した。

3 ２泊３日の京都旅行では，銀閣寺を見学し，さらに哲学の道を<u>散柵</u>した。

4 中学時代の恩師からいただいた手紙に大変<u>感名</u>を受けた。

5 今年の目標は，<u>既成</u>の概念にとらわれずに，新しいことにチャレンジすることだ。

解説

① ✕ 「順応性」。環境に適応することを意味する。

② ✕ 「締結」。条約などを結ぶことを意味する。

③ ✕ 「散策」。散歩することを意味する。

④ ✕ 「感銘」。深く感動することを意味する。

⑤ ○ そのとおり。「既成」は事柄がすでに出来上がっていることを意味する。

もう1点GET +α 部首

漢字に直したとき，その漢字の部首が同じになるか否かを問う問題が出題される。

税金をノウ付する	納	いとへん
ヒ岸のお参りに行く	彼	ぎょうにんべん
過去をセイ算して，再出発する	清	さんずい
文章の誤りを指テキする	摘	てへん
液体がギョウ固する	凝	にすい
発行部数をサク減する	削	りっとう

1問1答

同じ漢字で読みが同じものはどれか？
❶ 漢文を訓読する―文章に句読点を打つ
❷ 定規で線を引く―定石を踏んだ経営方針を立てる
❸ 望外の幸せである―お茶を所望する
❹ 大言壮語なことを言う―膨大な資料を整理する
❺ 万物は流転する―流行に敏感な若者が多い

正解 ❷ ❶✕「くんどく」―「くとうてん」，❷○「じょうぎ」―「じょうせき」，❸✕「ぼうがい」―「しょもう」，❹✕「たいげんそうご」―「ぼうだい」，❺✕「るてん」―「りゅうこう」

20 四字熟語

ランク A

超約 ここだけ押さえよう！

① 四字熟語

四字熟語の漢字や読み，意味などが出題される。

異口同音	いくどうおん	多くの人が口をそろえて同じことを言うこと
以心伝心	いしんでんしん	言葉を使わなくても，お互いに心が通じ合うこと
一意専心	いちいせんしん	ただ一つのことだけに心を注ぐこと
一日千秋	いちじつせんしゅう	待ち遠しいこと
一宿一飯	いっしゅくいっぱん	一夜の宿と一回の食事を与えてもらうことで，他人からの恩を受けること
一知半解	いっちはんかい	知っているが，よく理解してないこと
一朝一夕	いっちょういっせき	わずかな時間のこと
有為転変	ういてんぺん	万物は常に移り変わること
温故知新	おんこちしん	昔のことを研究し，新しい知識や見解を見いだすこと
旧態依然	きゅうたいいぜん	昔のままで少しも進歩がないこと
群雄割拠	ぐんゆうかっきょ	多くの英雄や実力者たちが各地でその道の極意を伝授すること
鶏口牛後	けいこうぎゅうご	大きな集団の中の一番下にいるよりも，小さい集団の先頭でいるほうがよいこと
軽薄短小	けいはくたんしょう	言葉や態度が軽々しく，中身がないこと

荒唐無稽	こうとうむけい	言動に根拠がなく，でたらめなこと
孤立無援	こりつむえん	頼る者がいない，助けのない状態
三位一体	さんみいったい	3つのことが一体となっていること
社交辞令	しゃこうじれい	儀礼的なあいさつやほめ言葉
秋霜烈日	しゅうそうれつじつ	刑罰や威力などが厳しく，ごまかしを許さないこと
熟慮断行	じゅくりょだんこう	十分に考えてから思い切って実行すること
上位下達	じょういかたつ	上の者の意向や意思を下の者に伝えること
諸行無常	しょぎょうむじょう	この世のすべてのものは永遠不変ではないこと
支離滅裂	しりめつれつ	バラバラでまとまりがない様子
神出鬼没	しんしゅつきぼつ	目に見えない鬼神のように自在に行動し，容易に所在がつかめないこと
頭寒足熱	ずかんそくねつ	頭を冷やし，足を温かくすること
千載一遇	せんざいいちぐう	千年に一度しか巡り合えないくらいに恵まれた機会
泰然自若	たいぜんじじゃく	ゆったりと落ち着いている様子
単刀直入	たんとうちょくにゅう	いきなり本題に入ること
適材適所	てきざいてきしょ	人の能力を正しく評価し，適した仕事につけること
日進月歩	にっしんげっぽ	休みなく目に見えて進歩すること
傍若無人	ぼうじゃくぶじん	そばの人に遠慮することなく，勝手な行動をすること
満身創痍	まんしんそうい	全身傷だらけなこと
面目躍如	めんもくやくじょ	評判どおり，めざましい活躍をすること

四字熟語の漢字がすべて正しいのはどれか。　　　【国家一般職】

1　異口同音　以心伝心

2　適財適所　温古知新

3　社交辞礼　孤立無縁

4　三位一体　諸行無情

5　短刀直入　支離滅列

解説

1 ○ そのとおり。

2 × 適財適所の「財」は「材」である。温古知新の「古」は「故」である。

3 × 社交辞礼の「礼」は「令」である。孤立無縁の「縁」は「援」である。

4 × 三位一体は正しい。諸行無情の「情」は「常」である。

5 × 短刀直入の「短」は「単」である。支離滅列の「列」は「裂」である。

7章 国語

20 四字熟語

もう1点GET +α 漢字を間違いやすい四字熟語

読み	正	誤
いっきかせい	一気呵成	一気加勢
いっしんどうたい	一心同体	一身同体
ききいっぱつ	危機一髪	危機一発
ぎょくせきこんこう	玉石混交	玉石混合
こうがんむち	厚顔無恥	厚顔無知
ごりむちゅう	五里霧中	五里夢中
じがじさん	自画自賛	自我自賛
ぜったいぜつめい	絶体絶命	絶対絶命
ちょうれいぼかい	朝令暮改	朝礼暮改

1問1答

次の四字熟語の漢字を正しく直しなさい。
興味深々　晴天白日　独断先行　意心伝心　不和雷同

正解 興味津々　青天白日　独断専行　以心伝心　付和雷同

21 ことわざ・慣用句

ランク A

① ことわざ・慣用句

ことわざや慣用句の意味・用法を問う問題が多い。

足下に火がつく	危険が身近に近づくこと
虻蜂取らず	2つのものを同時に取ろうとしても得られないこと
案ずるより産むが易し	心配するよりも実行したほうがいいこと
犬が西向きゃ尾は東	当たり前すぎるほど当たり前のこと
海老で鯛を釣る	少しの元手で大きな利益を得ること
隗より始めよ	事を始めるときは，言い出した人からまず始めなさいとうこと
河童の川流れ	**名人でも失敗をすることがあること** 名人でも失敗をすることがあること 「弘法も筆の誤り」「猿も木から落ちる」などが類義語だよ。
鶏口となるも牛後となるなかれ	大きな集団で人の下にいるよりも，小さな集団でトップになったほうがよいこと
転ばぬ先の杖	失敗しないように**事前に準備をしておくこと** 事前に準備をしておくこと 「石橋を叩いて渡る」「備えあれば憂いなし」などが類義語だよ。
出藍の誉れ	教えを受けた弟子が先生よりも優れた人になること
尻馬に乗る	他人の言動に同調して，軽はずみなことをすること

青天の霹靂（へきれき）	突然起こる大事件
立て板に水	よどみなくすらすらと話すこと
天高く馬肥ゆる秋	秋は空気が澄み切って晴れ，気候が良いので，馬が太る季節である（手紙文の中における10月の時候の挨拶）
豆腐にかすがい	手ごたえがないこと，無意味な行動であること

手ごたえがないこと，無意味な行動であること
「暖簾（のれん）に腕押し」「糠（ぬか）に釘」などが類義語だよ。

流れに棹（さお）さす	時流にうまく乗り，目的に向かって順調に進むこと
情けは人のためならず	人に親切にすれば，やがてよい報いとなって自分に返ってくること

情けは人のためならず
人に情けをかけるとその人のためにならないことは「情けが仇（あだ）」だよ。

二階から目薬	遠すぎて効果がないこと
濡れ手で粟	何の苦労もせずに利益を得ること
寝耳に水	出し抜けでびっくりすること
瓢箪（ひょうたん）から駒	意外なところから思いもよらないものが飛び出すこと
馬子にも衣装	どのような人でも外見を整えれば立派に見えること
焼け石に水	その程度の援助では到底役に立たないこと
藪（やぶ）をつついて蛇を出す	余計なことをして，かえって悪い結果を招くこと
李下（りか）に冠（かんむり）を正さず	李（スモモ）の木の下で冠を直そうとすると，実を盗んでいると疑われるので，疑惑を招く行為は避けるべきというたとえ

　　A～Eのことわざまたは慣用句のうち，その意味が妥当なもののみを挙げているのはどれか。　　　　　　　　　【国家一般職】

　A：濡れ手で粟…………無意味な行動のこと。
　B：筆が立つ……………字がきれいであること。
　C：気が置けない………気が晴れないこと。
　D：転ばぬ先の杖………失敗しないようにあらかじめ十分に準備
　　　　　　　　　　　　　　しておくこと。
　E：立て板に水…………すらすらと話すこと。

1　A，C

2　A，E

3　B，C

4　B，D

5　D，E

解説

A × 「濡れ手で粟」は，何の苦労もせずに利益を得ること。「無意味な行動のこと」は，「糠に釘」など。

B × 「筆が立つ」は，文章が上手なこと。「字がきれいであること」を意味するのではない。

C × 「気が置けない」は，遠慮がいらないこと。

D ○ そのとおり。類義語には，「石橋を叩いて渡る」「備えあれば憂いなし」などがある。

E ○ そのとおり。類義語には「懸河の弁」「竹に油を塗る」などがある。

もう1点GET

 +α 体の一部を用いた慣用句

高学歴を（　　）にかける	鼻
人を（　　）で使う	顎（あご）
甘いものに（　　）がない	目
（　　）が堅い友人に相談をする	口
痛くもない（　　）を探られた	腹
（　　）の込んだ作品を受け取った	手
（　　）を長くして楽しみにする	首

1問1答

機嫌が悪い状態を表すために，（　　）に入れるべき体の一部は何か？
おみやげがお菓子でないと（　　）を膨らませる。

 正解 ▶ 頬（ほお）

22 関数とグラフ

ランク A

① 関数

　2つの変数 x，y があり，x の値が1つ決まると，y の値がただ1つ決まるものを **y は x の関数である**という。

　関数記号 f や g を用いて，**$y=f(x)$** や **$y=g(x)$** で表す。

② 一次関数

　$y=ax+b$ で表すことのできるグラフを，一次関数という。

a は**傾き（変化の割合）**を表し，b は**切片（y 座標との交点）**を表す。

　一次関数や比例のグラフのように，直線のグラフどうしで，
平行である場合→**傾きが等しい**
垂直である場合→**傾きの積は−1**

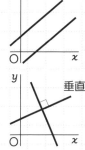

③ 直線の方程式

　点 $(a,\ b)$ を通り，傾き m の直線は，以下のような方程式で表すことができる。

$$y-b=m(x-a)$$

例題 点$(-3, 4)$を通り，傾き2の直線を式で表しなさい。

$y-4=2\{x-(-3)\}$

$y-4=2(x+3)$

$\quad y=2x+10$

> A. $y=2x+10$

④ 二次関数

$y=ax^2+bx+c$ で表すことのできるグラフを**二次関数**という。

$a>0$のとき，グラフは**下に凸の形**になる（上に開いている）。

$a<0$のとき，グラフは**上に凸の形**になる（下に開いている）。

$$\underset{\substack{a>0 \\ のとき}}{\bigcup} \qquad \underset{\substack{a<0 \\ のとき}}{\bigcap}$$

（1）頂点

$y=ax^2+bx+c$ の頂点は，$\left(-\dfrac{b}{2a}, -\dfrac{b^2-4ac}{4a}\right)$となる。

（2）グラフの最小・最大

二次関数のグラフで，x の変域が設定されていないときは，

$a>0$の場合は最大値は**なし**，最小値は頂点の y 座標$\left(-\dfrac{b^2-4ac}{4a}\right)$となる。

$a<0$の場合は最小値は**なし**，最大値は頂点の y 座標$\left(-\dfrac{b^2-4ac}{4a}\right)$となる。

グラフの最小値と最大値を求める問題は次の行程で求めることができる。

❶**範囲を設定する。**

❷**グラフを描く。**

❸**最小値と最大値を，場合分けによって求める。**

> グラフの最大値と最小値を求める問題は頻出だよ。

117

直線 $y = \dfrac{1}{2}x$ に垂直で，点 P$(-4，3)$ を通る直線の y 軸との交点の y 座標はどれか。　　　　　　　　　　　【地方初級】

1　　-5

2　　-3

3　　-2

4　　　0

5　　　2

=== 解説 ===

STEP 1

点 (a, b) を通り，傾きが m の直線の方程式は $y-b=m(x-a)$ となる。

直線 $y=\dfrac{1}{2}x$ に垂直で，点 P$(-4, 3)$ を通る直線は次の図の直線 l である。

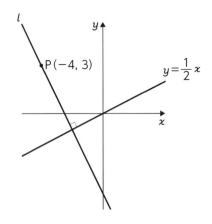

STEP 2

直線 l の傾きを m とすると，垂直な直線どうしの傾きの積は -1 であるから，

$\dfrac{1}{2}\times m=-1$ より，$m=-2$

よって，求める直線は傾きが -2 で，点 P$(-4, 3)$ を通るから，

$y-3=-2\{x-(-4)\}$

$y-3=-2(x+4)$

$y-3=-2x-8$　より，$y=-2x-5$

したがって，y 軸との交点の y 座標は -5 であり，正答は **1** である。

もう1点GET
+α グラフの決定

　一次関数 $y=ax+b$ は通る 2 点が，二次関数 $y=ax^2+bx+c$ は通る 3 点がそれぞれわかっていれば式を決定することができる。おのおのの頂点を代入し，連立方程式を利用して求める。

23 方程式と不等式

ランク A

超約 ここだけ押さえよう！

> 係数
> 係数とは x についている数のことだよ。

ここだけ ① 二次不等式

$ax > b$ の解は，

$a > 0$ のとき， $x > \dfrac{b}{a}$　$a < 0$ のとき， $x < \dfrac{b}{a}$

⇒ x の係数が正のときは，不等号の向きはそのままで，
　x の係数が負のときは，不等号の向きを反対にする。

ここだけ ② 二次方程式

（1）解の公式

$ax^2 + bx + c = 0$ の解は， $x = \dfrac{-b \pm \sqrt{b^2 - 4ac}}{2a}$ で求めることができる。

（2）解と係数の関係

$ax^2 + bx + c = 0$ の 2 つの解を α，β とすると，次の関係がある。

$\alpha + \beta = -\dfrac{b}{a}$，$\alpha\beta = \dfrac{c}{a}$

（3）判別式

$ax^2 + bx + c = 0$ の解の個数は，次のようになる。

$b^2 - 4ac > 0$ なら，**異なる 2 つの実数解**

$b^2 - 4ac = 0$ なら，**重解（解が実数 1 つ）**

$b^2 - 4ac < 0$ なら，**異なる 2 つの虚数解**

（4）グラフへの応用

（3）の判別式はグラフにも応用でき，次のように，x 軸との接点の個数を判別できる。

$b^2 - 4ac > 0$　　　　$b^2 - 4ac = 0$　　　　$b^2 - 4ac < 0$

③ 絶対値付き不等式

絶対値が付いている不等式では，場合を分けて検討する。

$|x| > a$ ならば$x < -a,\ x > a$

$|x| < a$ ならば$-a < x < a$ と場合分けをする。

絶対値
"0からの距離"のことだよ。

例題 不等式$2x^2 - |x| - 3 \leqq 0$を満たす x の範囲を求めよ。

$x \geqq 0$のとき，$|x| = x$

不等式は，$2x^2 - x - 3 \leqq 0 \Rightarrow (x+1)(2x-3) \leqq 0$

よって，$-1 \leqq x \leqq \dfrac{3}{2}$

しかし，**$x \geqq 0$を考慮して，**　$0 \leqq x \leqq \dfrac{3}{2}$

$x < 0$のとき，$|x| = -x$

不等式は，$2x^2 + x - 3 \leqq 0 \Rightarrow (2x+3)(x-1) \leqq 0$

よって，$-\dfrac{3}{2} \leqq x \leqq 1$

しかし，**$x < 0$を考慮して，**　$-\dfrac{3}{2} \leqq x < 0$

以上より，x の範囲は$-\dfrac{3}{2} \leqq x \leqq \dfrac{3}{2}$となる。

$A. -\dfrac{3}{2} \leqq x \leqq \dfrac{3}{2}$

次の絶対値を含む方程式の解の和として妥当なのはどれか。

$|2x-1|=x+7$

【地方初級】

1 　3

2 　4

3 　6

4 　8

5 　9

解説

絶対値は，$x \geqq 0$ のとき $|x|=x$，$x<0$ のとき $|x|=-x$ となる。

STEP 1

$2x-1 \geqq 0$，すなわち $x \geqq \dfrac{1}{2}$ のとき，

$2x-1=x+7$

$2x-x=7+1$

$\quad x=8$

STEP 2

$2x-1<0$，すなわち $x < \dfrac{1}{2}$ のとき，

$-(2x-1)=x+7$

$\quad -2x+1=x+7$

$\quad -2x-x=7-1$

$\quad\quad -3x=6$

$\quad\quad\quad x=-2$

したがって解の和は，$8+(-2)=6$ となり，正答は **3** である。

 もう1点GET

+α 不等式の問題

　不等式の問題は，**図示**するのが基本。もし図示するのが難しく，条件等が難解である場合は，**実際に数字を代入して考えてみる**ことも大事である。

 1問1答

$|2x-1|<3$ を満たす x の範囲を求めよ。

正解 ▶ $-1<x<2$　　絶対値の記号を外し，$-3<2x-1<3$ とする。式を変形すると $-2<2x<4 \Rightarrow -1<x<2$ となる。

8章 数学

23 方程式と不等式

24 力学

超約 ここだけ押さえよう！

① 力学

力の三要素	力の大きさ，向き，作用点のことをいう。これらが力の効果を決める要素となる
力の合成	物体に2つの力F_1とF_2が働いているとき，この2つの力の合力はそれらを二辺とする平行四辺形の対角線になる
力の分解	1つの力を2つ以上の力に分けること。元の力を対角線とする平行四辺形を書くことで分解できる。力の分解の方法は無限に存在するが，一方の分力（分解した際の力）がわかれば，もう一方も確定する
重力	地球が物体を引っ張る力。質量x〔kg〕に働く重力の大きさは重力＝$x \times g$となる。 gは重力加速度を表し，$g \fallingdotseq 9.8$〔m/s^2〕である。 また，重力加速度9.8は物体の運動の単元でも必ず必要となる数値なので，確実に覚えておこう
力のつりあい	1つの物体に複数の力が働いており，その合力が0の状態

例題 右のように，重さ400N の荷物にひもをつけ，2人で持ち上げている。

どちらも水平からの角度が30度だった場合，2人は何 N でひもを引っ張る必要があるか。

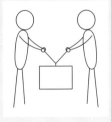

この場合，まず引っぱる力を T と置き，以下のようにグラフに表す。

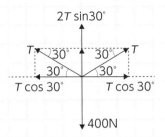

すると，そもそも2人の合力＝重力400N，$\sin30° = \dfrac{1}{2}$ なので，

$2T\sin30° = 400$ より $T = 400$ となり，1人当たり400N となる。

A.400N

❶しっかりと図式化する。
❷引っ張っている力の分力を考慮する。
❸それぞれの力の合力＝重力であるという式を立てる。

この3つでスムーズに
解けるようになるよ。

　図のように，長さが120cm の軽くて一様な棒 AB がある。今，2 本の軽い糸の一端にそれぞれ質量が4.5kg のおもり P，1.5kg のおもり Q をつなぎ，糸の他端をそれぞれ棒の端点 A，B に結びつけた。さらに別の糸を棒上の点 O に結びつけ，棒 AB とおもり PQ をつり下げたところ，棒 AB は水平を保ったまま静止した。このとき，点と端点 A との距離 AO は何 cm か。ただし，棒 AB および3 本の糸の質量は無視できるものとする。【地方初級】

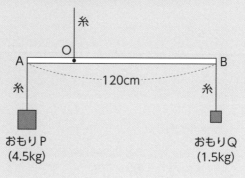

1　20cm

2　30cm

3　40cm

4　50cm

5　60cm

解説

STEP 1

棒 AB とおもり P，Q の全体が，1 点 O で支えられているから，これらの物体は，点 O を支点Aとするてこを形成しているとみなすことができる。

よって，「てこの原理」より支点の左右において，

（力の大きさ）×（支点からの距離）

が等しいとき，てこがつりあうことに注目すればよい。

STEP 2

$OA = a$〔cm〕，$OB = b$〔cm〕と置くと，てこの原理より，

$4.5 \times a = 1.5 \times b$，ゆえに，$3a = b$ …①

STEP 3

また，棒全体の長さは120cmだから，$a + b = 120$ …②

①を②に代入して，$4a = 120$

ゆえに，$a = 30$〔cm〕

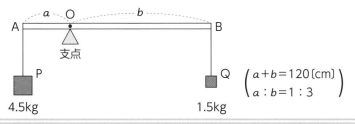

もう1点GET

＋α 力のモーメント

てこがつりあうとき（力の大きさ）×（支点からの距離）が左右で等しいということは，2つの力の大きさが支点からの距離に反比例することを示している。あるいは，支点の位置を力の逆比に内分する点に選べば，てこはつりあうと考えてもよい。

本問では $a : b$ の比はおもりの重力の逆比，すなわち1.5：4.5＝1：3 に等しいから，120cm を1：3に分けて，$a = 30$〔cm〕と求めてもよい。

なお，てこの原理は，高校の「物理」で扱われる「力のモーメントのつりあい」の一例である。

25 波動

ランク A

超約 ここだけ押さえよう！

サインカーブ
数学で習うサインカーブ
（正弦曲線）と同じ形だよ。

① 波動

　振動が次々に隣り合う部分に伝わる現象を波（波動）という。

　波の基本的な形は**サインカーブ**となる。振動を伝える物質を**媒質**と呼び，このグラフの山の部分の高さ，もしくは谷の部分の深さを**振幅**という。

①**波長**→サインカーブの山から山，もしくは谷から谷までの距離 λ を波長という。

②**振動数**→1秒間に生じる波の個数 f のこと。単位は〔Hz〕を使う。

③**周期**→波形が，1波長進むのに要する時間 T のことをいう。

② 波の基本式

①から ①$f=\dfrac{1}{T}$，②$v=f\times\lambda$ という２式が成り立つ。

(v:波の速さ〔m/s〕，λ:波長，f:振動数，T:周期)

③ 波の性質

❶**反射**→異なる媒質間で，波が跳ね返される現象。

　このとき，入射角＝反射角となる。

❷**屈折**→異なる媒質間の境界面で折れ曲がる現象。

　水に入れたコインが浮かび上がって見えることなどは屈折。

❸**干渉**→２つの波が重なり合って，強め合ったり弱め合ったりする現象。

❹**回折**→波が障害物の後ろに回り込んで伝わる現象。波長の長い赤外線などは回折が大きく，波長の短い紫外線などは回折が小さい。

たとえば，赤外線ストーブは障害物が多少あっても，回折により暖かさが伝わる。しかし，紫外線(日焼けの原因)は，回折が小さいので，日傘などである程度カットできる。

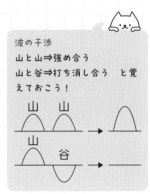

波の干渉
山と山⇒強め合う
山と谷⇒打ち消し合う　と覚えておこう！

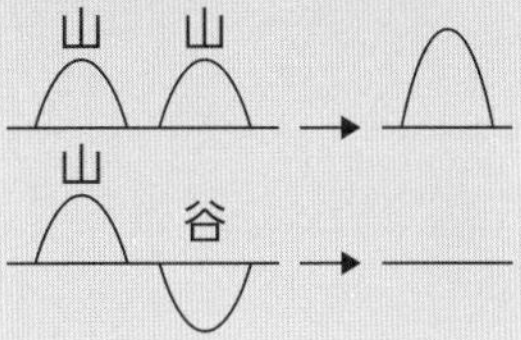

ここだけ
④ 音

❶**音波**

音は，空気中を伝わる縦波の一種。

固体，液体，気体を伝わるが，**真空中は伝わらない**。

❷**音速**

気温 t〔℃〕での，音速 V〔m/s〕は

$V=331.5+0.6t$となる。

音速
暑ければ暑いほど速く伝わるよ。

ここだけ
⑤ ドップラー効果

動く音源から出された音や，観測者が動きながら聞いている音の振動数が，静止している状態と比べて変化する現象。

音源が出す振動数を f_0〔Hz〕，観測する振動数を f〔Hz〕，音源の速度を v_S，観測者の速度を v_O，音速を Vとすると

$$f=\frac{V\pm v_O}{V\pm v_S}\times f_0$$　となる。

観測者が近づくときは分母が $V-v_S$，観測者が離れるときは分子は $V-v_O$ となる。そのため，救急車のサイレンは，近づくときは**高く聞こえ(振動数が多い)**，離れるときは**低く聞こえる(振動数が少ない)**。

　電車が振動数 864Hzの警笛を鳴らしながら，20m/sの速さで観測者に近づいてくる。観測者が静止しているとき，観測される音の振動数はどれか。ただし，音速を340m/sとする。　【特別区Ⅰ類】

1　768Hz

2　816Hz

3　890Hz

4　918Hz

5　972Hz

○━━ 解説 ━━━━━━━━━━━━━━━━━━━━━━━━━━

STEP 1

一直線上を音源 S，観測者 O が，それぞれ速度 V_S，V_O で運動しているとする。このとき，音速を V とし，音源 S から出ている音波の振動数を f とすると，観測者 O に届く音波の振動数 f' は，

$$f' = \frac{V - V_O}{V - V_S} f$$

となる。

STEP 2

V_S，V_O の符号は，S から O に向かう向きを正，O から S に向かう向きを負とする。

本問の場合は，$f = 864$〔Hz〕，$V_S = 20$〔m/s〕，$V_O = 0$〔m/s〕，$V = 340$〔m/s〕であるから，これらを上式に代入して，観測者が観測する音波の振動数 f' は，

$$f' = \frac{340 - 0}{340 - 20} \times 864 = \frac{340}{320} \times 864 = 918 \text{〔Hz〕}$$

となる。

 もう1点GET
+α ドップラー効果の一般式

V_S，V_O のどちらが分子にくるか迷いやすいので，O（Observer 観測者）→over（上，分子）のように覚えるとよい。

①問①答

振動数960Hzのサイレンを出すパトカーが15m/sの速度でAさんに近づくとき，観測者の聞く振動数はいくらか。ただし，音速を340m/sとする。

正解▶ 1004〔Hz〕

観測者が止まっていることに注意すると，$f = \dfrac{340 - 0}{340 - 15} \times 960 = 1004$　となる。

26 原子の構造

ランク A

① 原子の構造

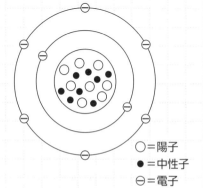

○＝陽子
●＝中性子
⊖＝電子

酸素原子の場合

　原子の中心には，**原子核**が存在し，その中には，

❶**陽子**：プラスの電気を帯びた粒子（正の電荷を持つ）

❷**中性子**：電気を帯びていない粒子が存在する。

また，原子核の周りには，

❸**電子**：マイナスの電気を帯びた粒子（負の電荷を持つ）が取り巻いている。

② 原子番号

　原子中の陽子の数をそのまま，原子番号と呼ぶ。基本的には陽子と同じ数だけの中性子が入っているので，**質量数**は原子番号（陽子の数）×2になることが多い（電子は陽子や中性子の重さの約$\frac{1}{1836}$なので，重さに含めない）。

ただ，中性子が0個のものも存在するので，注意。

質量数
質量数は重さのことだよ。

132

③ 同位体（アイソトープ）

同じ元素でも，中性子の数が異なるため質量数が異なる元素が存在する。これらを**同位体**と呼ぶ。

同位体
化学的な性質の違いはほぼないので要注意。

同位体 ┬ 安定同位体（安定しているので動かない）
　　　　└ 放射性同位体（中性子を放出して，元に戻ろうとする）

同位体と似た名前で「同素体」というものがあるけど，全くの別物なので要注意。

④ 電子殻

電子が原子核の周りを高速で回転しているとき，以下のような配置で回転している。内側から，K殻，L殻，M殻，…と呼ぶ。

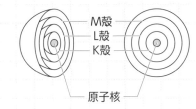

M殻
L殻
K殻

原子核

それぞれの殻に配置できる電子の最大個数は決まっており，n番目の殻には$2 \times n^2$の電子を配置することができる。

ただし，基本的にはL殻以降は8個の電子で安定した配置となり，最大個数まで電子を配置せずに次の殻に移る。

⑤ イオン

④でも述べたように，基本的にL殻以降は電子の数が8個で非常に安定する。たとえば①で記した酸素原子だと，L殻に入っている電子（**最外殻電子**という）は6個であり，**あと2つ電子があれば**，安定した8個になる。そこで，電子を他の原子からもらい，電子が8個になった状態を酸素イオンと呼び，**陽子8個に対して電子10個なので**，O^{2-}となる。

原子に関する記述として最も妥当なのはどれか。 【国家一般職】

1 原子では，内側の電子殻にある電子ほど原子核に強く引きつけられ，安定した状態になるため，電子は，一般に，内側の電子殻から順に配置される。

2 原子核には，一般に，その元素に固有の数の陽子と，陽子の2倍の数の中性子が含まれ，陽子と中性子の数の和を原子番号という。

3 質量数が同じで，原子番号が異なる原子どうしを互いに同位体（アイソトープ）であるという。同位体どうしは，化学的性質が大きく異なる。

4 原子は，半径1 nm（1×10^{-9} m）程度の球状の粒子であり，電荷を持たない原子核と，負の電荷を持つ電子から構成されている。

5 価電子の数が同じ原子どうしは，よく似た化学的性質を示す。フッ素（F）や塩素（Cl）の原子は，価電子を1個持ち価電子を失う反応を起こしやすい。

解説

❶ ○ 原子核の中には陽子と中性子が存在し，正の電荷を持つ。原子核の周りの電子殻にある電子は負の電荷を持つので，互いは強く引き合っている。その大きさは，互いに距離が短いほど強くなるため，内側の電子殻にある電子ほど原子核に強く引きつけられて安定するので，電子は内側の電子殻から順に配置される。

❷ × 原子核に存在する陽子の数が原子番号になり，原子番号＝陽子の数である。また，中性子の数は，0個のものもあり，陽子の数近くの中性子を持つ原子も多いが，必ずしもそうなるとは限らない。また，陽子の数と中性子の数の和を質量数という。

❸ × 同位体（アイソトープ）は，原子番号が同じで質量数が異なるものをいう。同位体の化学的性質の違いはほとんどない。

❹ × 原子の半径はおよそ，0.1nm〜0.3nm程度である（水素原子は例外で，これより非常に小さい）。原子は，正の電荷を持つ原子核と，負の電荷を持つ電子から構成されている。

❺ × 価電子とは最外殻にある1から7個の電子のことをいう。価電子の数が同じ元素は同族元素と呼ばれ，典型元素においては，よく似た化学的性質を示す。ハロゲン元素であるフッ素（F）・塩素（Cl）臭素（Br）・ヨウ素（I）が持つ価電子の数は7個であり，ほかから電子を1個受け入れて，安定な1価の陰イオンになりやすい。

もう1点GET +α 同素体

同位体とよく似た言葉で**同素体**というものが存在する。

同素体とは，同じ元素からなる単体で，化学的・物理的性質が異なる物質どうしの関係のこと。代表的なものは以下のとおり。

酸素とオゾン／斜方硫黄と単斜硫黄とゴム状硫黄／ダイヤモンドと黒鉛

27 無機化学

ランク
A

① 典型元素とその性質

アルカリ金属
Hを含まないので注意！

アルカリ金属	周期表の1族に位置する。Li,Na,K,Rb,Cs,Frの6種類の元素。価電子数は1で,それを放出して1価の陽イオンになりやすい	❶単体は銀白色で密度が小さく柔らかい ❷常温の水と容易に反応するため,石油中に保存する ❸炎色反応を示す。Li→赤,Na→黄,K→紫,Rb→赤など
アルカリ土類金属	周期表の2族に位置する。Be,Mgを除くCa,Sr,Ba,Raの4種類の元素。過電子数は2で,それを放出して2価の陽イオンになりやすい	❶単体は銀白色で,熱電気の伝導性が高い ❷空気中で酸素皮膜を作る ❸常温の水と反応して水酸化物を作る ❹炎色反応を示す。Ca→橙,Sr→赤,Ba→緑
希ガス（貴ガス）	周期表の18族に位置する。He,Ne,Ar,Kr,Xe,Rnの6種類の元素。価電子数は0で,非常に安定した元素で,他の元素と化合物を作らず単原子分子として存在する	❶いずれも無色無臭である ❷放電管に詰め込み電圧をかけると,特有の色を発する
ハロゲン	周期表の17族に位置する。F,Cl,Br,I,Atの5種類の元素のこと。価電子を7個持っており,電子を1個受け取り1価の陰イオンになりやすい	❶いずれも刺激臭があり,毒性が強い ❷臭素Brは,常温で液体の元素である

ここだけ

② 覚えておくべき非金属元素・化合物

水素	宇宙全体で最も多く存在する元素。元素の中で最も軽い。単体は二原子分子H_2として存在している。**可燃性**があり，燃料電池として使用されている。 **亜鉛，鉄，マグネシウムなどに塩酸や硫酸を加える**と発生
塩素	刺激臭を持つ黄緑色の気体。水と激しく反応する。殺菌作用や消毒・漂白作用もあり，水道水の殺菌や，漂白剤などにも使われる。**塩酸にさらし粉を加える**と発生
酸素	他の物を燃焼させる**助燃性**がある。無色無臭の気体であり，地球の大気の約22%を占める。**過酸化水素水に二酸化マンガンを加える**と発生
二酸化炭素	無色無臭の気体。水に溶けた際に**弱酸性**を示す。石灰水に通すと，白く濁る。固体の状態はドライアイスと呼ばれ，固体から液体を介さずに気体になる（昇華）。地球温暖化の原因でもある。石灰石に塩酸を加える，もしくは炭酸ナトリウムを加熱すると発生
アンモニア	無色で，刺激臭のある気体。水に溶けると**弱塩基性**を示す。**ハーバー・ボッシュ法と呼ばれる工業的な方法で窒素に水素を化合**させると発生。体内では毒素として扱われ，肝臓などで尿素に変えられる。その反面，**窒素肥料や医薬品**にも使われることがあるので注意

10章 化学

27 無機化学

時事問題にもよく
出てくるよ！

\ 知って**得**する！ /

周期表の3族～12族の元素のことを**遷移元素**といい，以下のような特徴がある。
①融点が高く，密度が大きい
②周期表の縦ではなく，横で性質が似ている
③イオンや化合物には有色のものが多い

厳選問題

　　非金属元素に関する次の文章の空欄A〜Cに当てはまる語句の組合せとして，妥当なのはどれか。 【地方初級】

元素の周期表の17族に属する元素を A といい，7個の価電子をもち，1価の陰イオンになりやすい。 A のうちフッ素，塩素，臭素，ヨウ素の単体は，いずれも二原子分子で， B の物質であり，沸点や融点は原子番号が大きいものほど高く，酸化力の強さは原子番号が小さいものほど C 。

	A	B	C
1	ハロゲン	有色・有毒	弱い
2	ハロゲン	有色・有毒	強い
3	ハロゲン	無色・無毒	弱い
4	希ガス	有色・有毒	強い
5	希ガス	無色・無毒	弱い

解説

Ⓐ	**ハロゲン**	元素の周期表の17族に属する元素をハロゲンという。ハロゲンは価電子を7個持ち，1価の陰イオンになりやすい。
Ⓑ	**有色・有毒**	ハロゲンの単体はフッ素 F_2(淡黄色)・塩素 Cl_2(黄緑色)・臭素 Br_2(赤褐色)・ヨウ素 I_2(黒紫色)など，いずれも有色・有毒である。
Ⓒ	**強い**	ハロゲンの沸点や融点は原子番号の大きいものほど高く，酸化力や反応性は原子番号の小さいものほど強い。

10章 化学

27 無機化学

もう1点GET +α 覚えておくべき金属元素

亜鉛(Zn)⇒両性元素と呼ばれ，酸にも塩基にも水素を発生して反応する。
　　　　　　亜鉛はトタンなどに用いられる。

水銀(Hg)⇒常温で唯一液体である金属。強い毒性を持つ。
　　　　　　ニッケル以外の金属と合金を作り，その合金をアマルガムという。

スズ(Sn)⇒両性元素である。また，酸化しづらいため，メッキに使われることが多い。

鉛(Pb)⇒両性元素である。放射線の吸収率が大きいため，放射線の遮蔽材として用いられる。

28 人体

ランク
A

超約 ここだけ押さえよう！

① 自律神経系

　大脳の支配を受けていない，意志とは無関係な内臓などの動きは，**自律神経**により調整されていて，**間脳視床下部**がコントロールしている。

　自律神経系には，**交感神経**と**副交感神経**があり，それぞれは拮抗的に働く。交感神経は興奮状態，副交感神経は安息状態で優先的に働く。

交感神経　副交感神経
こんなイメージだよ。

交感神経　　　副交感神経

	心拍	呼吸	血圧	消化	排泄	瞳孔	血管
交感神経	促進	促進	上昇	抑制	抑制	拡大	収縮
副交感神経	抑制	抑制	低下	促進	促進	縮小	拡張

　また，交感神経が優先的に働くときは，神経接合部に**ノルアドレナリン**，副交感神経が優先的に働くときは神経接合部に**アセチルコリン**が分泌される。

アセチルコリン
「汗散る子、服を交換する」で
アセチルコリン→副交感神経
と覚えよう。

② 中枢神経系

（1）脳の構造と役割

大脳	皮質と髄質からなる。新皮質は記憶・判断・学習などの人間が行う複雑な**精神活動の中枢**。旧皮質は**本能欲求の中枢**
間脳	視床下部はホルモンの分泌，自律神経系の中枢
中脳	姿勢保持の中枢。眼球や瞳孔反射の中枢
小脳	平衡保持の中枢。運動の中枢
延髄	呼吸運動，心拍運動，消化管の運動，唾液や涙の分泌

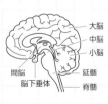

（2）眼の役割

虹彩	カメラのしぼりに該当し，光量を調節している
水晶体	カメラのレンズに該当し，実像を網膜に結ばせる
網膜	光を感じ取る細胞を持っている。網膜でできた実像は視神経から脳に伝えられる

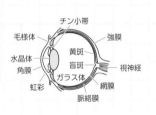

（3）耳の役割

音波→外耳道→鼓膜が振動
↓
振動を耳小骨で増幅
↓
うずまき管へ伝わる

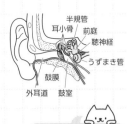

前庭	体が傾くと平衡石が動き，傾きを認識する
半規管	体が回転すると，内リンパ液の動きが感覚細胞を刺激し，回転方向と速度を認識する

前庭と半規管
「前に傾き半回転」
と覚えよう！

厳選問題

　自律神経系の働きに関する次の文章の空欄ア～オに当てはまる語句の組合せとして，妥当なのはどれか。　　　　　　　　【東京都Ⅰ類】

　自律神経系は，交感神経と　ア　とからなり，多くの場合，両者が同一の器官に分布し，相互に対抗的に作用することにより，その器官の働きを調整している。交感神経が興奮すると，その末端からは　イ　が，　ア　が興奮すると，その末端からは　ウ　が分泌され，各器官に働く。たとえば，交感神経が興奮すると，心臓の拍動が　エ　し，気管支は　オ　し，膀胱においては排尿を抑制する。

	ア	イ	ウ	エ	オ
1	感覚神経	アセチルコリン	ノルアドレナリン	促進	拡張
2	感覚神経	ノルアドレナリン	アセチルコリン	抑制	収縮
3	副交感神経	アセチルコリン	ノルアドレナリン	抑制	収縮
4	副交感神経	ノルアドレナリン	アセチルコリン	促進	拡張
5	副交感神経	ノルアドレナリン	アセチルコリン	抑制	収縮

ア	副交感神経	自律神経系には交感神経と副交感神経がある。感覚神経とは，感覚器官から出される信号を脳や脊髄に伝える神経である。
イ	ノルアドレナリン	交感神経が優先的に働くとノルアドレナリンが分泌される。
ウ	アセチルコリン	アセチルコリンは副交感神経と運動神経で分泌される神経伝達物質である。
エ	促進	副交感神経の働きでは，心臓の拍動は抑制される。
オ	拡張	副交感神経優位の状態では気管支は収縮する。このほか，交感神経の働きでは，瞳孔は拡大し，立毛筋は収縮する（鳥肌が立つ）。

11章 生物

28 人体

もう1点GET ＋α 人体

　人体を一定に保つ働きのことを恒常性と呼び，体内から分泌されるホルモンも恒常性の一端を担っている。

　甲状腺から分泌されるチロキシン⇒代謝を促進する。

　A細胞から分泌されるグルカゴン⇒血糖値を増加させる。

　B細胞から分泌されるインスリン⇒血糖値を減少させる。

1問1答

インスリンは，すい臓のB細胞から分泌されるホルモンであり，グルコースの細胞内への取り込みやグリコーゲンの合成を促進させる。

正解 ○ 正しい。インスリンはホルモンの中で唯一，血糖値を下げる（グリコーゲンの合成を促進させる）。

29 生態系

ランク B

超約 ここだけ押さえよう!

① 遷移

一定地域の植物群集が, 時間とともに変化する現象。

(1)一次遷移

火山の噴火などでできた, 植物のない裸地から始まる乾性遷移, 新たにできた湖沼から始まる湿性遷移がある。

(2)二次遷移

山火事や, 森林伐採地などのように, もともと植物群集があり, 二次的に裸地になった場所から始まる遷移。

裸地→荒原→草原→低木林→陽樹林→混合林→陰樹林

陽樹林	陽光が十分に当たる場所で生育する樹林。シラカンバ, アカマツ, クロマツなど
陰樹林	陽光が十分に当たらない場所で生育する樹林。モミ, ヒノキ, ブナ, シイなど

ちなみに, 陰樹林の後は, その樹林によって陽光がさえぎられ, 陰樹林しか生育しなくなる。そのた

陽樹林は一代しかないので
要注意!

め, 陰樹林は極相(クライマックス)と呼ばれている。

② 水平分布

日本は地域の年平均気温の違いの影響により生えている植物が異なる。

樹木の種類	日本での分布	樹木例
亜寒帯針葉樹林	北海道東北部	エゾマツ，トドマツ，モミ
夏緑樹林	東北〜関東部	ブナ，ケヤキ，カエデなど
照葉樹林	関西部〜九州	ツバキ，アカガシ，カエデなど
亜熱帯多雨林	九州〜沖縄	ソテツ，ヘゴ，ヒルギなど

ここだけ

③ 生物どうしの関係

種間関係	捕食者（食う）と，被食者（食われる）の関係を食物連鎖という。生態ピラミッドは下から生産者（植物）⇒一次消費者（草食動物）⇒高次消費者（肉食動物）の順となっている
ニッチ	生態系の中での地位をニッチという。ニッチが重なると競争が生じるので，生物どうしは，住む場所を変える「すみ分け」や，餌の種類を変える「くい分け」をして共存している
相利共生	2つの種類の生物どうしが共生することで，お互いに利益を得る関係をいう。ワニと小鳥など
中立	異種間で，お互いに影響を及ぼさない関係をいう。高い位置の葉っぱを食べるキリンと，低い位置の葉っぱを食べるシマウマなど
片害	生物の出す分泌物が，他の生物に不利に働く関係。菌類から分泌される抗生物質など
種内関係	同種個体が統一的な行動をとる集合状態を群れといい，リーダーとなる個体が群れを統率するリーダー制がある。サルなど

図中：高次消費者 一次消費者 生産者

植生の遷移に関する次の説明文中の①〜③の各a，bから正しいものを選んだ組合せとして妥当なのはどれか。　【地方初級】

火山噴火による溶岩流跡などの裸地から始まる植生の遷移を① {a. 一次遷移　b. 二次遷移} という。裸地に最初に侵入してくる植物は先駆植物（パイオニア植物）と呼ばれ，具体的にはコケ植物や地衣類などであるが，場所によってはススキやイタドリなどの草本植物が初めから侵入する場合もある。その後，草原を経て低木林が形成される。低木林を構成する樹木は② {a. 陽樹　b. 陰樹} で，それらの樹木が成長して森林が形成される。森林内部では次の世代を構成する幼木の間で光を巡る競争が起こり，森林内での成長により有利な③ {a. 陽樹　b. 陰樹} が生き残り，次の世代を構成することになる。その結果，植生は最終的には極相林と呼ばれる森林へと遷移していく。

	①	②	③
1	a	a	a
2	a	a	b
3	a	b	a
4	b	a	b
5	b	b	a

❶　a. 一次遷移

火山噴火などの後，植物がほとんどない裸地から始まる遷移を一次遷移という。それに対し，山火事や森林伐採地などのように，もともと植物群集があり，二次的に裸地になった場所から始まる遷移を二次遷移という。

陽光が十分に当たる場所で生育する樹林を陽樹林，陽光が十分に当たらない場所で生育する樹林を陰樹林という。

❷　a. 陽樹
❸　b. 陰樹

光が十分に得られる遷移の初期段階の環境では，陽樹が低木林を形成し，やがてそれらが成長して陽樹林と呼ばれる森林をつくる。陽樹林内では光が減少するため，陽樹より陰樹の稚樹・幼木のほうが成長に有利になる。その結果，陽樹林はやがて陽樹と陰樹の混交林となり，その後，陰樹を主とする陰樹林に遷移する。

もう1点GET +α 極相林

　陰樹林の後は，その樹林によって陽光がさえぎられ，陰樹林内では陰樹の幼木が成長し世代が更新されるため，構成種に大きな変化が見られなくなる。この状態を極相（クライマックス）といい，このときの森林を**極相林**という。

30 気象

ランク
A

① 低気圧と前線

寒冷前線	冷たくて重い寒気が，暖かくて軽い暖気の下に潜り込む前線。**暖気が押し上げられることで，激しい上昇気流が生じ，積乱雲が生まれる**。また，寒冷前線が通過後，気温は低下する
温暖前線	暖かくて軽い暖気が，冷たくて重い寒気の上に這い上がってできる前線。**上昇気流は発生するが，激しくはなく，乱層雲などの層状の雲が生まれる**。また，温暖前線が通過後，気温はゆるやかに上がる
閉塞前線	寒冷前線が温暖前線より進行速度が速く，追いついたときにできる前線
停滞前線	梅雨や秋の時期に，寒気と暖気の勢力がつりあい，同じ場所に長時間停滞する前線

閉塞前線は，どちらがどちらに追いつくか間違えないように！

台風	緯度5°～20°付近の暖かい海水温で発生する低気圧の中で，風速17.2m/s以上のものを台風という。**寒気が存在しないので，前線がなく円形の等圧線を持つ**。 また，台風の進行方向の右半分は**危険半円**，左半分は**可航半円**と呼ばれている

積乱雲と乱層雲

積乱雲は，激しい上昇気流を伴うので，激しい雨が局所的に降るが，短時間で雨は止む。乱層雲は，激しい上昇気流ではないが，範囲が広いので，穏やかな雨が広範囲に長時間降る。

ここだけ
② 日本の四季

冬	大陸でにシベリア気団が発達し，東に低気圧が居座る（西高東低の気圧配置）。シベリア気団から，北西の季節風が吹き，日本海側は大雪，太平洋側は乾燥した大気となる
春	シベリア気団が衰え，大陸南部の上空に揚子江気団が発達する。その揚子江気団から分離した高気圧が偏西風やジェット気流に乗り，かわるがわる日本の上空を通過する。高気圧と低気圧が交互に押し寄せることになるので，周期的に天気が変化する
梅雨	日本の北東に寒冷なオホーツク海気団，南東に温暖な小笠原気団が発達し，勢力が均衡する。その間に梅雨前線（停滞前線）が発生し，長期間天気が悪化する。梅雨前線は南北に動くが，最終的に北上し，梅雨が明ける
夏	梅雨の時期に発達した小笠原気団が日本を覆い，北部に低気圧が発達する（南高北低の気圧配置）。小笠原気団から，南東の季節風が吹き，太平洋側は大雨，日本海側は乾燥した熱風が吹く（フェーン現象）
秋	小笠原気団が衰えはじめ，大陸に寒冷高気圧ができ，梅雨の時期と同様停滞前線である秋雨前線ができる。そのため，長期間天気が悪化することになる。秋雨前線が南下し消滅すると，春と同様に移動性高気圧と低気圧が交互に日本にやってくるので，周期的に天気が変わる

12
章
地
学

30
気
象

日本の気象に関する記述として，最も妥当なのはどれか。【地方初級】

1 春になると，温帯低気圧とオホーツク海高気圧が交互に東から西へ通過し，周期的に天気が変化するようになる。

2 梅雨の時期は，シベリア高気圧と移動性高気圧の間に梅雨前線が形成され，長雨をもたらす。

3 夏になると，日本付近は発達した太平洋高気圧に覆われ，南高北低と呼ばれる夏型の気圧配置になる。

4 秋には，台風が接近することが多く，台風により北から湿った空気が寒冷前線に大量に流れ込むと大雨になる。

5 冬には，オホーツク海高気圧から吹き出す冷たく乾燥した北東の季節風が，日本海を渡る際に大量の水蒸気を含み，日本海側に雪を降らせる。

解説

❶ ✕ オホーツク海高気圧ではなく，大陸からの移動性高気圧である。

❷ ✕ 梅雨の時期に発達するのはオホーツク海高気圧と太平洋高気圧である。

❸ ◯ 夏になると日本付近には北太平洋高気圧（小笠原高気圧）が発達し，南高北低型の気圧配置となる。

❹ ✕ 秋は台風により南から湿った空気が停滞前線に流れ込み大雨になる。

❺ ✕ オホーツク海高気圧ではなくシベリア高気圧であり，北東の季節風ではなく北西の季節風である。

12章
地学

30
気象

①問①答

梅雨の時期になると，東西に長く伸びた閉塞前線が日本付近に長期間とどまり，この閉塞前線に向かってモンスーンが吹き込む。これにより高温多湿で曇りや雨の日が続き，この時期の閉塞前線は梅雨前線と呼ばれる。

正解 ✕ 日本付近に長くとどまる梅雨前線は停滞前線の一種である。

31 天体

 ここだけ押さえよう！

太陽と惑星の特徴や違いを
しっかりと押さえて、必ず
得点源にしよう。

ここだけ ① 太陽

核融合反応	太陽では**水素原子4個から，1個のヘリウム原子**に核融合するときに減少した質量がエネルギーとなり，熱と光に変換される。太陽の組成は水素77%，ヘリウム21%である
光球	太陽の**輝いている本体の部分**で，表面温度はおよそ5,800K（約6,000℃）
黒点	光球面に見える黒い斑点で，光球より1,500〜2,000K温度が低い。**11年周期で増減しており，黒点が多い時期は太陽の活動が活発になる**
彩層	光球の外側にある希薄な大気の層
プロミネンス	光球面から吹き出す炎。柱状のガス雲
コロナ	光球の外側の彩層のさらに外側に広がる真珠色の大気。温度は100万℃以上
フレア	太陽表面の一部が激しく爆発し，莫大なエネルギーを放出する現象。フレアで発生したX線は，地球の電離層を乱し，通信障害などを引き起こす**デリンジャー現象**や，大規模な停電を引き起こす**磁気嵐**を発生させる

黒点がない場所にエネルギーが凝縮されているイメージ！

② 惑星

水星	太陽に一番近く，太陽風の影響で**大気が存在しない**。そのため，昼夜での温度差が一番大きく，昼は約400℃，夜は約−100〜−200℃となる
金星	自転方向が他の惑星と**逆向きに**回転している。大気は二酸化炭素で覆われており，温室効果により，水星より太陽から離れているにもかかわらず，昼の**温度は470℃となり，惑星の中で最大**。自転速度を超える風（スーパーローテーション）が吹いている
火星	大気は二酸化炭素で覆われている。軸が地球と同様に傾いており，四季が存在する。現在火星では水が発見されているが，**微生物はいまだに発見されていない**
木星	**太陽系最大の惑星**。水素（90%）とヘリウム（10%）でできているガス惑星である。その体積と重量から，衛星を60個以上持つ
土星	**太陽系惑星の中で一番密度が小さく，水の密度よりも小さい**。大気は水素とヘリウムからなる。また，惑星の外側には氷や岩石からできた**環がある**。衛星を50個以上持つ
天王星	太陽系の中で**唯一軸が横倒しになっており**，昼と夜の間隔が42年もある。大気がメタンで覆われており，青色の惑星である
海王星	天王星同様，大気がメタンで覆われており，青色の惑星。地球から離れすぎているので，肉眼では確認できず，望遠鏡を用いて初めて観察できる

12章 地学

31 天体

水星を訪れた探査機のマリナー10号は覚えておこう！

太陽系の惑星に関する記述として，妥当なのはどれか。【地方初級】

1 太陽と地球の間にある惑星は，水星，金星，火星である。

2 金星は半径が太陽系最小の惑星であり，重力が小さく大気はほとんどない。

3 火星の表面には季節で消長する極冠や，火山や浸食の跡が見られる。

4 土星と木星は密度が小さい木星型惑星で，主な成分は酸素，ケイ素，鉄などである。

5 天王星は自転軸が軌道面に対しほぼ横倒しで，最も外側の軌道を持っている。

(解説)

❶ ✕　太陽系の惑星は，太陽に近いものから水星，金星，地球，火星，木星，土星，天王星，海王星である。内側の4つが地球型惑星，外側の4つが木星型惑星である。

❷ ✕　水星の説明である。金星は分厚い二酸化炭素の大気を持ち，温室効果で表面温度が約465K（約470℃）にも達する。

❸ ◯　火星の北極と南極は氷やドライアイスで覆われており，その地形のことを極冠という。また，火星にはオリンポス山という標高約21kmの火山が存在する。

❹ ✕　土星と木星は木星型惑星であり正しいが，後半部分は地球型惑星の説明である。

❺ ✕　天王星の自転軸に関しては正しいが，最も外側を公転しているのは海王星である。以前は最も外側の惑星は冥王星だったが，現在は太陽系外縁天体の中の準惑星に分類されている。

①問①答

木星は太陽系の中で密度が最も小さく，表面には赤道に平行な数本のしま模様が見られる。大気の主成分は二酸化炭素である。

正解 ✕　太陽系の中で密度が最も小さいのは土星である。また，木星の大気の主成分は水素やヘリウムなどの分子量の小さい気体である。

32 現代文

超約 ここだけ押さえよう！

① 内容把握

　一番オーソドックスな出題。選択肢が文章中に書かれている内容に一致しているかを一つ一つ丁寧に検討することが大切。パラグラフリーディングを意識し，<u>段落ごとに選択肢と突き合わせながら</u>正答を導き出す。

> 段落と選択肢の突き合わせ
> たとえば，1の選択肢は，第1段落に書かれている内容で判断することが多く，5の選択肢は第4段落，第5段落など後ろの段落の内容で判断することが多いよ。

② 要旨把握

　問題文の主題（メインテーマ）を把握するというもの。**筆者の言いたいこと（主張）**が主題になることが多い。

> 筆者の言いたいこと（主張）
> つまり，選択肢に書かれていることが正しくても，主題とズレていれば正答にならないよ。

③ 文章整序

　キーワード，接続詞・指示語を駆使して論理の<u>ブロックを作る</u>ことになる。選択肢を上手く使うと正答に近づきやすくなる。

> ブロックを作る
> どこから着手してもいいんだけど，ブロックを見つけるのがポイント。おおむね2つブロックを見つけられれば正答にたどり着くように作られているよ。

次の[   ]の文の後に，A〜Eを並べ替えて続けると意味の通った文章になるが，その順序として最も妥当なのはどれか。　　　　【国家一般職】

> フーコーが注目するのは，患者に対する医師の問いかけ方である。18世紀の医師は，患者に「どうしたのですか？」と尋ねた。しかし19世紀以降の医師は「どこが工合（ぐあい）がわるいのですか？」と尋ねる。こうした問いの形式のわずかな違いにこそ，認識論的な切断が反映されている。どういうことだろうか。

A　この時点で，すでに身体観のみならず，医師−患者関係に対する認識までもが大きく変化しつつあるのだ。

B　それゆえ患者個人の治療よりも，その病気が何であるかという診断分類が優先される。

C　ここには病気が患者の身体に内包されるという認識と同時に，患者の身体は解剖学的な複数のパーツから成立しており，病むのはそうした「部分」であるという認識がみてとれる。

D　しかし後者の問いはそうではない。

E　18世紀の医師には，病む患者という"個人"は認識されていなかった。患者はあくまでも，病気という概念を媒介する現実的な現れにすぎない。

1　C→A→B→D→E　　　**2**　C→A→D→E→B

3　C→B→D→E→A　　　**4**　E→A→D→C→B

5　E→B→D→C→A

出典は斉藤環「解説」（ミシェル・フーコー　『臨床医学の誕生』神谷美恵子訳所収）。枠の中では，18世紀の医師→19世紀の医師という流れで，患者に対する問いかけ方の変化を述べている。これを前提にA〜Eを読み進めると，Eで18世紀の医師について改めて触れていることがわかる。個人＜

病気という構図を把握すれば，EとBが「それゆえ」という接続語により論理的に結びつくことがわかるだろう。

　また，Dは「後者」としているが，これは19世紀以降の医師をさしているので，19世紀以降の医師の特徴を述べているものがDに続くと判断できる。したがってDの後にCがくる。この時点で「E→B」「D→C」という２つのブロックを含む選択肢は，**5**のみとなる。

④ 空欄補充

　２つないし３つの空欄に入る語彙を選択するというもの。文章の内容を理解する必要はなく，空欄の前後の流れを把握することで，確定できることが多い。

次の文の内容と合致するものとして最も妥当なのはどれか。

【国家一般職】

　2004年，世界的な医学専門誌に，フランスの医師らがICU(集中治療室)で死亡した人たちの病理解剖結果に関する論文を発表。それによれば「生前診断の約30％は誤診だった」といいます。

　気になるのは，こうした数字が記録として残るようになった1930年頃から現在に至るまで，それほど変化(改善)していないことです。これは同時期に，航空機の事故率が大幅に低下した事実とは対照的です。

　同じ期間に「医療」でも「航空」でも技術が発達した点は同じですから，両者の違いは別のところにあるようです。航空業界ではパイロットの強い要望で航空会社が事故防止策に力を入れたのに対し，医療業界ではこれと同じインセンティブが働かなかったと見る向きがあります。

《中略》

　では医師という人間の代わりに「AI」，つまりコンピュータに診断を任せてみてはどうでしょうか？超高速プロセッサをフル稼働させる精緻なソフトウエアであれば，人間のように感情に左右されたり自信過剰から判断を誤ったりするような罠を避けて，ベストの診断をしてくれるかもしれません。

　すでに医療分野へのAI導入は始まっています。

　米国では2018年8月，連邦政府の規制当局FDA(食品医薬品局)が世界初と見られる医療用AI機器を認可しました。この製品は眼科クリニックなどで，糖尿病患者のかかりやすい眼疾患をAIが自動診断する装置です。

　こうした医療用AIはインドやアフリカのように，膨大な人口の

わりには医師の数が足りない国や地域で「医療の新たな担い手」として期待されています。

　また少子高齢化による労働力人口の減少が進む日本でも，特に医師不足が深刻な地方部で，医療用AIの必要性は今後高まっていくでしょう。病院側から見ても，医師の超過勤務や過重労働などが問題視される中，その解決策として，これに勝る技術は当面見当たりません。それはまた高騰する医療コストの抑制・削減にも寄与すると見られています。

1　世界的な名医であっても，100％正確な診断を下すのは不可能であるため，医療分野にAIを導入することによって，人間的な誤りを排除することが求められている。

2　航空業界では，AI導入により経営が安定し，従業員の処遇が改善されて士気が上がった結果，事故率が大幅に低下した。

3　米国では，FDAが認可した世界初の医療用AI機器により，あらゆる疾患を自動診断することが可能となり，誤診率が格段に低下した。

4　医療用AIの導入が，医師の負担軽減や医療コストの削減などに効果的な影響を与えると期待されている。

5　医師の過重労働を解消するためには，深刻な医師不足や少子高齢化に直面している国や地域から優先的に医療用AIを導入する必要がある。

解説

出典は小林雅一『仕事の未来「ジョブ・オートメーション」の罠と「ギグ・エコノミー」の現実』。

❶ × 第1段落によると,「生前診断の約30％は誤診だった」という事実は,「世界的な名医」から引き起こされたとものとは書かれてない。

❷ × 第2,3段落によると,航空業界で事故率が大幅に低下したことは書かれているが,その要因は「パイロットの強い要望で航空会社が事故防止策に力を入れた」からである。「AI導入により経営が安定し,従業員の処遇が改善されて士気が上がった結果」とは書かれていない。

❸ × 第6段落によると,FDAの認可と,製品の説明だけが書かれており,「誤診率が格段に低下した」事実は書かれていない。

❹ ○ そのとおり。第8段落によると,医療用AIは,超過勤務や過重労働の問題の解決策として位置づけられており,高騰する医療コストの抑制・削減にも寄与するとされている。したがって,「医師の負担軽減や医療コストの削減などに効果的な影響を与えると期待されている」との記述は妥当である。

❺ × 第7,8段落によると,「深刻な医師不足や少子高齢化に直面している国や地域」に医療用AIを導入する必要があるという方向性はそのとおりであるが,優先順位にまでは触れられていない。

13章 文章理解

32 現代文

次の文の主旨として，最も妥当なのはどれか。　　　【特別区】

　私はあと二カ月で満一〇二歳になります。講演や原稿執筆をこなす忙しい毎日ですが，私にとってそれは精神的負担どころか，むしろ社会から必要とされている喜びであって，私の「よいストレス」となっています。

　そんな私も長い人生の中で，色々な苦難，ストレスを経験しました。一九七〇年，五八歳の時，私は「よど号」ハイジャック事件に遭遇し，死の不安にさらされながら三泊四日，機内に拘束されました。当時の運輸政務次官の山村新治郎氏の犠牲的行動で，私を含む乗客約一〇〇人の命が助けられました。タラップを降り，韓国の金浦空港の土を踏んだ時，私は靴の下に「救いの大地」を感じました。心身に受けた壮絶なストレスを，自分にとってプラスに転換し，私の新しい人生が始まりました。いわば私は「再生」したのです。

　ストレスという概念を一般に広めたのは，カナダの生理学者ハンス・セリエ博士（一九〇七〜一九八二）でした。ストレスは元々は工学用語です。鉛の棒を両側から強く押すと，棒は「く」の字に曲がります。この状態を，セリエ博士は人間の心理状態を表す言葉に使いました。人間に嫌な心理的重圧＝ストレスが加わると，脳下垂体，副腎などからホルモンが分泌されて，高血圧，糖尿病，消化管潰瘍，免疫力の低下など，体にも悪い結果をもたらします。

　セリエ博士は晩年，ストレスにもよい面があることに気づき，それをユーストレス（eu-stress）と名付けました。たとえば，ヨットが逆風に遭っても，帆の張り方を変え，一端に体を傾ければ，風上に進めます。同様に，人間は悪いストレスを良いストレスに変えることができるのです。

　　　　　　　　（日野原重明「最後まで，あるがまま行く」による）

1　講演や原稿執筆をこなす忙しい毎日は，精神的負担どころか，むしろ社会から必要とされている喜びである。

2　よど号ハイジャック事件に遭遇し，命が助けられ，韓国の金浦空港の土を踏んだ時，靴の下に救いの大地を感じた。

3　人間に嫌な心理的重圧が加わると，高血圧，糖尿病，消化管潰瘍，免疫力の低下など，体にも悪い結果をもたらす。

4　セリエ博士は，ストレスのよい面をユーストレスと名づけた。

5　人間は，悪いストレスを良いストレスに変えることができる。

解説　　　正答 **5**

　ストレスのとらえ方に関することが主題となることがわかる。人間は悪いストレスを良いストレスに変えることができるということを述べた文章。

❶ ×　第1段落に書かれている内容であるが，筆者の毎日の充実度を述べているだけなので，主題とはいえない。

❷ ×　第2段落に書かれている内容であるが，よど号ハイジャック事件時の筆者の感じた事実を述べているだけなので，主題とはいえない。

❸ ×　第3段落に書かれている内容であるが，ストレスの悪い結果を述べているだけなので，主題とはいえない。

❹ ×　第4段落に書かれている内容であるが，筆者の主張ですらないので，主題とはいえない。

❺ ○　そのとおり。第4段落に書かれている内容であり，よいストレスへの変換を述べたものとして，主題と合致する。

33 英文

ランク A

超約　ここだけ押さえよう！

① 内容把握

　一番出題される類型である。英文中に述べられていることと一致するものを選ぶ必要がある。文法などが分からなくても，文意を取れれば正答にたどり着く。**段落ごとに選択肢と突き合わせながら正答を導き出すのがポイント**。ただし，国家一般職の問題は，問題文を上から順番に見て選択肢と突き合わせていけば正答にたどり着くわけではないので，別途問題演習を通じて，慣れておく必要がある。

段落ごとに選択肢と突き合わせながら
特別区の問題文の量はそこまで多くないので，突き合わせの作業は比較的簡単だよ。

例題

　次の英文中に述べられていることと一致するものとして，最も妥当なのはどれか。　　　　　　　　　　　　　　【特別区】

A little girl was near death, victim of a disease from which her younger brother had miraculously* recovered two years before. Her only chance to live was a blood transfusion* from someone who had previously conquered the sickness. The doctor explained the situation to Tommy, the five-year-old brother, and asked if he would be willing to give his blood to his sister, Kathy.

　The boy took a deep breath, thought for a moment, then drew himself up and said, "Yes, I'll do it if it will save my sister."

　As the transfusion progressed one could see the vitality

returning to the wan* figure of the little girl. Tommy smiled when he observed this, but then, with trembling lips he said something startling.

"Will I begin to die right away?" he asked.

The doctor realized immediately what Tommy's hesitation had meant earlier. In giving blood to his sister, he thought he was giving up his life! In one brief moment he had displayed more courage than most of us can muster* in a lifetime. He had made an heroic decision!

(Arthur F. Lenehan：足立恵子『英語で「ちょっといい話」』による)

＊miraculously …… 奇跡的に　　＊transfusion …… 輸血

＊wan …… 弱々しい　　　＊muster …… 奮い起こす

1　幼い少女が病気で亡くなりかけていたが，少女の弟も２年前に同じ病気にかかり，回復していない。

2　医者は５歳の弟トミーに状況を説明し，姉のキャシーから血を分けてもらうかどうか聞いた。

3　トミーは，深呼吸をすると，ちょっと考え，それから姿勢を正して「いいよ。それでお姉ちゃんが助かるなら」と言った。

4　輸血が進むにつれ，トミーはほほえんで「お姉ちゃんの病気はもうそろそろ治るの」と言った。

5　トミーは，たいていの人が生涯のうちに奮い起こすことができるのと同じくらいの勇気を示すことができた。

全訳

　ある幼い少女が病に冒され瀕死状態にあったが，その病は彼女の弟が２年前にかかり，奇跡的に回復を遂げた病気であった。彼女が助かる唯一の望みは，同じ病気を克服した人から輸血を受けることであった。医者は５歳の弟トミーに状況を説明し，姉のキャシーに血を分けてあげる気があるかどうか尋ねた。

　少年は深呼吸をすると，ちょっと考え，それから姿勢を正して「いいよ。

それでお姉ちゃんが助かるなら」と言った。

　輸血が進むにつれて，その幼い少女の弱々しい姿に生気が戻ってくるのがわかった。それを見てトミーはほほえんだが，そのあと，彼は唇を震わせながらびっくりするようなことを言った。

　「僕はもうすぐ死んでいくの？」と彼は尋ねたのである。

　医者は，トミーが先ほど見せたためらいが何を意味していたのかを即座に理解した。姉に輸血をすることで，彼は自分の命をあきらめることになると思ったのである！ ほんの一瞬で，彼はたいていの人が生涯のうちに奮い起こすことができるよりも大きな勇気を示した。彼は勇敢な判断をしたのである！

❶×　第1段落に，「her younger brother had miraculously recovered two years before」とあるので，弟は回復したことがわかる。「回復していない」という点が誤り。

❷×　第1段落に，「asked if he would be willing to give his blood to his sister, Kathy」とあるので，姉に血を分けてあげる気があるかどうかを聞いた。「姉のキャシーから血を分けてもらうかどうかを聞いた」のではない。

❸○　そのとおり。第2段落に書いてある内容である。

❹×　第4段落に，「"Will I begin to die right away?" he asked」とあるため，トミーの発言は「お姉ちゃんの病気はもうそろそろ治るの」ではなく，「僕はもうすぐ死んでいくの？」である。

❺×　第5段落に，「he had displayed more courage than most of us can muster in a lifetime」とあることから，たいていの人が生涯のうちに奮い起こすことができるよりも大きな勇気を示したことがわかる。「同じくらいの勇気」ではない。

例題

次の文の内容と合致するものとして最も妥当なのはどれか。【国家一般職】

Scientists and historians will use artificial intelligence to recreate what the world smelled like hundreds of years ago.

Called Odeuropa, the pioneering study will begin in January, take three years and use AI to build an online "Encyclopaedia of Smell Heritage" of Europe in the 1500s to the early 1900s. The AI will be trained to search historical books and documents for mentions of smells. It will also be able to scan images — such as paintings — for objects that would have had a smell. The project is being undertaken by scientists, historians and artificial intelligence experts at universities across Europe and the UK.

Project leader Ingeer Leemans in the Netherlands said the work would trace the meaning of scents and olfactory * practices and a more complete sense of what a place was like in the past.

"This database will become an archive for the olfactory heritage of Europe, enabling future generations to access and learn about the scented past," she wrote on a post on the project's website.

Dr William Tullett of Anglia Ruskin University in Cambridge, UK, uses the example of tobacco, smoked in pipes and cigarettes. When it was introduced into Europe in the 1500s it was an exotic smell from a far-off place. By the 1700s, people were complaining about the smell of tobacco smoke in theatres. It's now a smell that is disappearing from what is called our olfactory landscape as laws tighten around the world about where people can smoke.

Chemists and perfumers will also recreate some of the smells.

It's hoped that in the future, visitors to exhibitions at museums, for instance, will be able to experience the smells of the past rather than just the sights and sounds.

(Donna Coutts ,"Study using AI to make scents of history")

* olfactory:嗅覚の

13章 文章理解

33英文

1 「匂いの遺産の百科事典」オンライン版は，3年後の1月に完成し，展示会が開催される予定である。

2 将来的には，歴史を匂いでも感じられるようになることが期待されている。

3 AIは，歴史文書の画像をスキャンすることで，それをデジタル化して現代語に表現することができる。

4 1500年代，タバコの匂いはエキゾチックなものとして，特に若者に人気があった。

5 1700年代，劇場での喫煙を禁止する法律がヨーロッパ各地で制定された。

全訳

　何百年も前には世界がどのような匂いだったかを再現するために，科学者や歴史家は人工知能(AI)を使うことになるだろう。

　オデウロパ(訳注：「匂い」と「ヨーロッパ」を組み合わせた造語)と称する先駆的な研究が1月に始まり，3年をかけて，1500年代から1900年代前半に至るヨーロッパの「匂いの遺産の百科事典」オンライン版を，AIを使って制作する予定だ。AIは，匂いに言及している歴史文書を検索するよう(機械学習の)調整をされる。また，匂いを有していたであろう物，たとえば絵画などの物の画像をスキャン(精査)することもできる。このプロジェクトには，ヨーロッパおよびイギリス全域の大学の科学者，歴史家，AI専門家たちが乗り出している。

　プロジェクトリーダーであるオランダのインゲール・レーマンス氏は，この研究によって，匂いや嗅覚に関わる慣習が意味していたものや，過去においてある場所がどんな様子であったのかについて，より全体像に近いものが明らかになるだろうと語った。

　「このデータベースは，ヨーロッパにおける嗅覚の遺産の保存記録となって，将来の世代が匂いを伴った過去に触れて学ぶことを可能にするでしょう」と，彼女はこのプロジェクトを紹介するウェブサイト上に寄稿している。

　イギリスのケンブリッジにあるアングリア・ラスキン大学のウィリアム=タレット博士は，パイプに詰めたり紙に巻いたりして吸われたタバコの例

を活用している。1500年代にヨーロッパにもたらされた当時，タバコの匂いははるか彼方から到来したエキゾチックな（異国を感じさせる）匂いだった。1700年代になる頃には，人々は劇場でのタバコの煙の匂いに不平を言うようになっていた。そして現在，法律によって人々が喫煙できる場所が世界中で狭まる中，タバコの匂いは私たちの嗅覚の風景ともいえるものの中から消えつつある。

　また化学者や調香師は，過去の匂いのいくつかを再現することになるだろう。

　将来は，たとえば博物館の展示への来訪者が，単に視覚や音にとどまらず，過去の匂いをも体験できるようになることが望まれている。

❶×　第2段落に，「匂いの遺産の百科事典」オンライン版を，AIを使って制作する予定である旨が述べられているが，展示会が開催される予定については書かれていない。

❷○　そのとおり。第7段落に，将来は，過去の匂いをも体験できるようになることが望まれている旨書かれているので，内容として合致する。

❸×　AIが画像をデジタル化して現代語に表現するといった内容はどの段落にも書かれていない。

❹×　第5段落に，タバコの匂いがエキゾチックな匂いであったことは書かれているが，「特に若者に人気があった」という内容は書かれていない。

❺×　第5段落には，1700年代に人々が劇場でのタバコの煙の匂いに不平を言うようになっていたことは書かれているが，「劇場での喫煙を禁止する法律がヨーロッパ各地で制定された」という内容は書かれていない。

② 空欄補充

　空欄に入る<u>語句の組合せ</u>を選ぶ形式。文章の内容を理解する必要はなく，空欄の前後の流れを把握することで，確定できることが多い。

語句の組合せ
形容詞や動詞を中心に，基本的な単語は押さえておいたほうがいいね。

次の英文中に述べられていることと一致するものとして，最も妥当なのはどれか。　　　　　　　　　　　　　　　　【特別区】

Labor Day is celebrated by more than 80 countries around the world, usually on May 1. However, in America, it is celebrated on the first Monday in September. It is a holiday that honors all the achievements and contributions of the nation's workers. Regardless of political affiliations*, most Americans believe that a strong workforce is what makes a country successful.

As a federal holiday, Labor Day gives workers and students a day off, and they are able to enjoy a three-day weekend. However, Labor Day originated at a time when the working conditions in America were so bad that weekends didn't even exist.

(Nina Wegner：高橋早苗「アメリカ歳時記」による)

* 　political affiliations…… (所属する)政党

---

1 労働者の日は世界80か国以上で祝われており，その日付はたいてい9月の第1月曜日だが，アメリカでは5月1日に祝われる。

---

2 労働者の日は，国内の労働者や学生のあらゆる業績と知識を称える祝日である。

---

3 どの政党に所属しているかにかかわらず，ほとんどのアメリカ人は，充実した労働力が国を発展させるとは思っていない。

---

4 労働者の日は連邦祝日であるため，会社は休みになり，労働者のみが3日間の週末休暇を楽しむことができる。

---

5 労働者の日が創設されたのは，アメリカの労働環境が劣悪で，週末などというものが存在しなかった時代のことである。

全訳

　労働者の日は，世界の80を超える国で，たいていは5月1日に祝われる。しかしアメリカでは，それは9月の第1月曜日に祝われる。それは，国内の労働者のあらゆる業績と貢献を称える祝日である。どの政党に所属しているかにかかわらず，ほとんどのアメリカ人は，充実した労働力こそが国を成功に導くものであると信じている。

　連邦祝日であるため，労働者の日には労働者と学生には休みが与えられ，彼らは3日間の週末休暇を楽しむことができる。しかしながら，労働者の日が創設された当初は，アメリカの労働環境は非常に悪かったため，週末などというものは存在すらしなかった。

(解説)　　　　　　　　　　　　　　　　　　　　　　　**正答 5**

❶ ×　第1段落に，「usually on May 1. However, in America, it is celebrated on the first Monday in September」とあることから，たいていは5月1日だが，アメリカでは9月の第1月曜日に祝われる。記述が逆になっているので誤り。

❷ ×　第1段落に，「honors all the achievements and contributions of the nation's workers」とあることから，国内の労働者のあらゆる業績と貢献を称える祝日であることがわかる。したがって，「国内の労働者や学生」ではないし，「業績と知識」ではない。

❸ ×　第1段落に，「most Americans believe that a strong workforce is what makes a country successful」とあることから，ほとんどのアメリカ人は，充実した労働力が国を成功に導くと信じていることがわかる。したがって，「充実した労働力が国を発展させるとは思っていない」というのは誤り。

❹ ×　第2段落に，「Labor Day gives workers and students a day off」とあることから，学生にも休みが与えられることがわかる。したがって，「労働者のみ」としている点が誤り。

❺ ○　そのとおり。第2段落の2文目の内容と一致している。

34 集合と論理

超約 ここだけ押さえよう！

① 集合

全体集合Uのうちアでない集合をAの**補集合**といい，$\overline{A}$と表す。

$n(U) = n(A) + n(\overline{A})$

※n( )はその集合の要素の個数

❶PかつQ：P∩Q   **❷PまたはQ：P∪Q**

この場合，P∪Qの個数n(P∪Q)は次の式が成り立つ。

$n(P∪Q) = n(P) + n(Q) - n(P∩Q)$

② 命題

主張に対し，それが真（必ず正しいといえる）か偽（正しいとはいえない）であるかを判断できる文章を**命題**と呼ぶ。

また，「AならばBである」という命題をA→Bと表したものを**論理式**という。Aでないことは$\overline{A}$（バー）と表し，「○でなければ△である」は「$\overline{○}$→△」と表す。

③ 対偶

論理式A→Bの左右を入れ替え，肯定と否定を入れ替えたものを**対偶**とい

う。

例：A→Bの対偶は $\overline{B}$→$\overline{A}$　（A←$\overline{B}$）

また，対偶は元の命題と真偽が一致する。

④ 三段論法

命題A→B，B→Cが成り立つならば，A→B→Cとなり，A→Cが成り立つ。これを三段論法という。

\ 知って 得する ! /

三段論法でつなげた論理式でも，対偶をとることができる。

例：A→B→C←D　は　$\overline{A}$←$\overline{B}$←$\overline{C}$→$\overline{D}$　となる。

⑤ 分割可能な命題

文章の前半に「または」or 文章の後半に「かつ」がある命題は論理式を分割できる。

例：「アメリカ人またはイギリス人は英語を話す」

アメリカ人→英語を話す

イギリス人→英語を話す

「消防士は消火をし，かつ，救助もする」

消防士→消火

消防士→救助

⑥ 論理式のポイント

❶対偶は真偽が一致する。

❷前「または」後ろ「かつ」は分割可能。

ある会社の社員について，次のことがわかっているとき，論理的に確実にいえるのはどれか。
・市外から通勤している社員は，自動車で通勤していない。
・自動車で通勤している社員は，早出勤務をしていない。
・早出勤務をしている社員は，市外から通勤していない。
・通勤時間が１時間以上の社員は，自動車で通勤しているか，または，市外から通勤している。 【国家一般職】

1 市外から通勤している社員は，早出勤務をしている。

2 市外から通勤していない社員は，通勤時間が１時間未満である。

3 自動車で通勤している社員は，市外から通勤している。

4 自動車で通勤していない社員は，早出勤務をしている。

5 早出勤務をしている社員は，通勤時間が１時間未満である。

解説

STEP 1

与えられている命題を論理式で表すと，

A：市外→$\overline{\text{自動車}}$，B：自動車→早出勤務，C：早出勤務→$\overline{\text{市外}}$，D：1時間以上→（自動車∨市外）　となる。

STEP 2

STEP 1 の論理式の対偶を考えると，以下のようになる。

E：自動車→$\overline{\text{市外}}$，F：早出勤務→$\overline{\text{自動車}}$，G：市外→$\overline{\text{早出勤務}}$，H：$\overline{(\text{自動車}∧\text{市外})}$→1時間未満

これらをもとにして選択肢を検討していけばよい。

❶ ✕ 　Gより，「市外から通勤している社員は，早出勤務をしていない」となる。

❷ ✕ 　Hを「$\overline{(\text{自動車}}$→1時間未満）∧$\overline{(\text{市外}}$→1時間未満）」と分割することはできないので，「市外から通勤していない社員は，通勤時間が1時間未満である」かどうかを確実に推論することはできない。

❸ ✕ 　Eより，「自動車で通勤している社員は，市外から通勤していない」となる。

❹ ✕ 　❷と同様で，Hは分割できないので，「自動車で通勤していない社員は，早出勤務をしている」かどうか判断できない。

❺ ○ 　C：早出勤務→$\overline{\text{市外}}$，F：早出勤務→$\overline{\text{自動車}}$より「早出勤務→$\overline{(\text{自動車}∧\text{市外})}$」が成り立つ。そうすると，これとHより，「早出勤務→$\overline{(\text{自動車}∧\text{市外})}$→1時間未満」となるので，「早出勤務をしている社員は，通勤時間が1時間未満である」は確実に推論できる。

14章 判断推理

34 集合と論理

もう1点GET ＋α 集合と論理

以下は論理式でよく使われる記号。

∧⇒かつ

∨⇒または

あるクラスの児童について次のことがわかっているとき，論理的に確実にいえることとして最も妥当なのはどれか。　【国家一般職】

・逆上がりができる人は，平泳ぎができる。
・前転ができない人は，逆上がりができない。
・二重跳びができない人は，平泳ぎができない。

1　逆上がりができる人は，二重跳びができる。

2　前転ができない人は，二重跳びができない。

3　二重跳びができる人は，前転ができる。

4　平泳ぎができる人は，前転ができる。

5　二重跳びができる人は，逆上がりができる。

=== **解説** ===

与えられた命題を論理式で表すと，次のようになる。

ア：「逆上がり→平泳ぎ」

イ：「前転‾→逆上がり‾」

ウ：「二重跳び‾→平泳ぎ‾」

次に，このア〜ウの対偶を考えると以下のようになる。

エ：「平泳ぎ→逆上がり」

オ：「逆上がり→前転」

カ：「平泳ぎ‾→二重跳び」

これらア〜カより，各選択肢を検討していく。

1 ○ ア，カより，「逆上がり→平泳ぎ‾→二重跳び」という三段論法が成り立ち，「逆上がりができる人は，二重跳びができる」とわかる。

2 × イより「前転‾→逆上がり‾→」となるが，その先に三段論法を構成する命題が存在せず，推論できない。

3 × 「二重跳び→」となる命題が存在しないので，推論できない。

4 × カより，「平泳ぎ‾→二重跳び→」となるが，その先が推論できない。

5 × **4**と同様で，「二重跳び→」となる命題が存在しないので，推論できない。

🍭 **もう1点GET** +α **集合と論理**

論理式の問題は以下の流れで解く。

1 すべての命題を論理式化する

2 対偶をとる

3 三段論法でつなげる

4 選択肢を検討する

　ある会社の社員40人について，嫌いな野菜を調べたところ次のことがわかった。　　　　　　　　　　　　　　　【地方初級】

　A　セロリが嫌いな社員は32人であった。
　B　ゴーヤが嫌いな社員は29人であった。
　C　ケールが嫌いな社員は26人であった。

　以上から判断して，セロリ，ゴーヤおよびケールすべてが嫌いな社員は少なくとも何人いるか。

1　6人

2　7人

3　8人

4　9人

5　10人

解説

STEP 1

セロリが嫌いでない社員は 8 人（＝40－32），ゴーヤが嫌いでない社員は11人（＝40－29），ケールが嫌いでない社員は14人（＝40－26）いる。これらの社員はいずれも，セロリ，ゴーヤ，およびケールすべてが嫌いな社員には該当しない。

STEP 2

セロリが嫌いでない 8 人，ゴーヤが嫌いでない11人，ケールが嫌いでない14人がすべて別人であれば，セロリ，ゴーヤ，およびケールすべてが嫌いな社員は最も少なくなる。

STEP 3

40－（8＋11＋14）＝40－33＝7より，セロリ，ゴーヤ，およびケールすべてが嫌いな社員は少なくとも 7 人いる。

もう1点GET
＋α

今回の問題のように「少なくとも」と書かれている問題は基本的に上記のような解き方をし，このような問題を**交わりの最小値**と呼ぶ。

図で表すと，セロリとゴーヤが嫌いな人は以下のようになる。

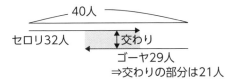

よって，セロリとゴーヤとケールが嫌いな人は以下のようになる。

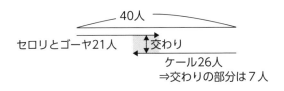

35 対応表・対戦

ランク A

対応表とは…縦軸に人物，横軸に対象物を置き，該当なら○，該当していないなら×をつける表のことをいう。ある人が対象物からいくつかを選択するような問題は対応表を作成して解こう。

① 2集合対応（1対1の対応）

縦の1人に対し，横の対象物がただ1つだけ決まる問題は，○が1つ記入されると，「その縦横の残りのラインすべて」に×が記入される。

例題 A，B，Cの3人はそれぞれ乗馬，ボート，サイクリングが趣味である。次のことがわかっているとき，Cの趣味は何か。

ア Aは乗馬が趣味である。

イ Bはボートが趣味でない。

問題文の条件ア，イを対応表にまとめると，次のようになる。

	乗馬 ア	ボート	サイクリング
A	ア ○	イ ×	×
B	×	×	○
C	×	○	×

A.ボート

② 複数対応

1人の人が複数の対象物を選択する場合をいう。

この場合は1対1対応のように、〇が1つ記入されると、その縦横の残りのライン すべてに×が記入されることはない。

また、欄外に〇の合計個数を書く欄を作ると解法のヒントになることが多い。

ここだけ ③ 総当たり戦(リーグ戦)

試合を行う問題で、総当たり戦(リーグ戦)を行うと記載されている場合、縦軸と横軸に人を書き、〇×(勝ち負け)を記入していく。

例題 A〜Dの4人が総当たり戦を行った。以下のことがわかっているとき、Aの戦績は何勝何敗か。

・Bは全勝だった。
・CはAに負けた。
・Dは勝ち越した。

<対応表の書き方>
主語を横に見て(Bが全勝なら、横列のBにすべて〇をつける)、
真逆の位置に真逆のマークを書き込む
(斜線で折り返した位置は〇と×が逆になる)。
引分けの場合は△のマークを両者につける。

> A. 1勝2敗

	A	B	C	D
A		×	〇	×
B	〇		〇	〇
C	×	×		×
D	〇	×	〇	

　5日間連続する講習会が行われ，A～Eの5人が受講した。次の
ア～オのことがわかっているとき，確実にいえるのはどれか。

【市役所】

ア　5日間とも1日に3人ずつが受講し，A～Eはそれぞれ3日ず
　つ受講した。

イ　A，Bは，同じ日に受講したのが2回あった。また，2人とも
　5日目は受講しなかった。

ウ　Bは3日目に受講したが，3日連続して受講することはなかっ
　た。

エ　D，Eは2日目に受講した。

オ　C，Dは3日目に受講しなかった。

1　Aは1日目に受講した。

2　Bは2日目に受講した。

3　Cは4日目に受講した。

4　Dは1日目に受講した。

5　Eは4日目に受講した。

解説

STEP 1

条件ア〜オをまとめると表Ⅰのようになる。

STEP 2

いずれの日も受講した人数が3人であることから，3日目はAとEが，5日目はCとDとEが受講したことがわかる。また，各人が受講した日数が3日であることから，Eは1日目と4日目に受講しなかったことがわかる。

次に，ウの条件から，Bの2日目は受講していないことがわかる（2日目を受講していると確実に3日連続で受講したことになってしまう）。また，Bの受講した日が1日目と4日目ということもわかる。

ここまでをまとめると表Ⅱのようになる。

STEP 3

イの条件から，AとBは同じ日に受講した日が2回あったが，そのうちの1回は3日目であり，1日目か4日目のいずれか片方で2人とも受講していることになる。このことから，Aの2日目は受講したことになり，Cの2日目は受講していないことになる。

以上より，Cの受講した日は1日目と4日目であることもわかる。

表Ⅰ

	1日目	2日目	3日目	4日目	5日目	
A					×	3
B			○		×	3
C			×			3
D		○	×			3
E		○				3
	3	3	3	3	3	

表Ⅱ

	1日目	2日目	3日目	4日目	5日目	
A			○		×	3
B	○	×	○	○	×	3
C			×		○	3
D		○	×		○	3
E	×	○		×	○	3
	3	3	3	3	3	

表Ⅲ

	1日目	2日目	3日目	4日目	5日目	
A		○	○		×	3
B	○	×	○	○	×	3
C	○	×	×	○	○	3
D		○	×		○	3
E	×	○	○	×	○	3
	3	3	3	3	3	

表Ⅲより，正しいのは **3** である。

A〜Dの4人は，福袋に入っていた雑貨やお菓子を持ち寄って交換することにした。4人が持ち寄ったものは互いに異なっており，帽子，手袋，クッキー，キャンディーのいずれか一つであり，各人は自分が持ってきたものとは異なるものを受け取った。
次のことがわかっているとき，確実にいえるのはどれか。

【国家一般職】

・Aは，キャンディーを持ってきた。
・Bは，帽子を受け取った。
・Cが持ってきたものも受け取ったものも，お菓子ではなかった。
・持ってきたものも受け取ったものもお菓子であったのは，1人だけであった。

1 Aが持ってきたものを，Dが受け取った。

2 Bが持ってきたものを，Cが受け取った。

3 Cは，手袋を持ってきた。

4 Dは，クッキーを持ってきた。

5 クッキーを持ってきた者は，キャンディーを受け取った。

解説

STEP 1

「Aは，キャンディーを持ってきた」「Bは，帽子を受け取った」「Cが持ってきたものも受け取ったものも，お菓子ではなかった」をまとめると表Ⅰとなる。

表Ⅰ

	持ってきたもの				受け取ったもの			
	帽子	手袋	クッキー	キャンディー	帽子	手袋	クッキー	キャンディー
A	×	×	×	○	×			×
B	×			×	○	×	×	×
C			×	×	×		×	×
D				×	×			

STEP 2

表Ⅰより，手袋を受け取ったのはCである。そうすると，Cは手袋を持ってこなかったので，Cが持ってきたのは帽子である。そして，Aが受け取ったものはクッキー，Dが受け取ったものはキャンディーとなる。「持ってきたものも受け取ったものもお菓子であったのは，1人だけ」であり，これはAと決まったので，Dが持ってきたものは手袋となり，Bが持ってきたものはクッキーである。この結果，表Ⅱのように確定し，正答は**1**である。

表Ⅱ

	持ってきたもの				受け取ったもの			
	帽子	手袋	クッキー	キャンディー	帽子	手袋	クッキー	キャンディー
A	×	×	×	○	×	×	○	×
B	×	×	○	×	○	×	×	×
C	○	×	×	×	×	○	×	×
D	×	○	×	×	×	×	×	○

14 章 判断推理

35 対応表・対戦

　5つのサッカーチームA〜Eが総当たりのリーグ戦を行った。各試合の結果は，勝利，敗戦，引き分けのいずれかであり，各試合の勝ち点は，勝利の場合は3点，敗戦の場合は0点，引き分けの場合は1点である。次のことがわかっているとき，確実にいえるのはどれか。　　　　　　　　　　　　　　　　　　　　　【国家一般職】

・勝ち点の合計は5チームで互いに異なっており，いずれも偶数であった。

・Aチームの勝ち点の合計は，8点であった。

・引き分けの試合は，Aチーム対Bチーム，Aチーム対Cチームの2試合のみであった。

・Dチームは，Aチームとは勝利数が，Cチームとは敗戦数が，それぞれ同じであった。

1　Aチームは，Dチームに敗戦した。

2　Bチームは，Eチームに勝利した。

3　Cチームの勝ち点は，6点であった。

4　Dチームの敗戦数は，1であった。

5　Eチームの勝利数は，4であった。

解説

STEP 1

引き分けはA対B，A対Cの2試合で，各チームの勝ち点は互いに異なり，すべて偶数なので，3勝1分0敗＝勝ち点10，2勝2分＝勝ち点8，2勝2敗＝勝ち点6，1勝1分2敗＝勝ち点4，0勝0分4敗＝勝ち点0，という組合せがありうる。このうち，Aの勝ち点は8なので，2勝2分0敗であり，AはD，Eに勝っている。

STEP 2

Dは引き分けがなく，勝利数はAと同じ2なので，Dの結果は2勝2敗である。CとDは敗戦数が同じなので，Cの結果は1勝1分2敗となる（表Ⅰ）。3勝1分0敗＝勝ち点10となるのはBであり，BはC，D，Eに勝っている。

STEP 3

0勝0分4敗＝勝ち点0はEとなり，B，C，DはEに勝っている。DはA，Bに負けているので，Cには勝っている。よって，表Ⅱのようにすべての結果が確定し，正答は **2** である。

表Ⅰ

	A	B	C	D	E	勝	分	敗	点
A		△	△	○	○	2	2	0	8
B	△						1		
C	△					1	1	2	4
D	×					2	0	2	6
E	×								

表Ⅱ

	A	B	C	D	E	勝	分	敗	点
A		△	△	○	○	2	2	0	8
B	△		○	○	○	3	1	0	10
C	△	×		×	○	1	1	2	4
D	×	×	○		○	2	0	2	6
E	×	×	×	×		0	0	4	0

36 順序関係・位置関係

ランク A

ここだけ 1 順序関係

条件で順序や大小の順がはっきりしているものを不等号，もしくは数直線で表し，各条件を組み立てて全体像を浮かび上がらせる。

<解き方のポイント>

A，B，C，D，Eの5人がマラソンをした場合，その順位について次のようなことがわかった。

ア　AはC，Dより順位が上である。

イ　BはCより順位が下である。

ウ　Eは最下位である。

アから順に各条件を整理してみると，以下のようになる。

ア　A＞C，A＞D

イ　C＞B

ウ　○＞○＞○＞○＞E

よって，条件アとイを考慮すると下記の3つのパターンが考えられることになる。

①A＞D＞C＞B＞E

②A＞C＞D＞B＞E

③A＞C＞B＞D＞E

これ以上は限定できなくなるので，この時点で選択肢を検討すればよい。

②<ruby>位置関係<rt>ここだけ</rt></ruby>

与えられた条件をそれぞれ**ブロック化**し，それを組み立て，はめ込んで解く。組み立てていくブロックの中心は，情報量の最も多いものを用いる。また，数量条件がある場合は，もらさずに書き込みをすることがポイントになる。

<解き方のポイント>

下図のようなロッカーをA～Dの4人が使用しており，以下のことがわかっている。

ア　上下それぞれ2人ずつが使用している。

イ　Dの両端は誰も使用していない。

ウ　Bの隣をCが使用している。

エ　AはBの下を使用している。

与えられた条件を**ブロック化**し，数量条件も記入する。

イより

ウ，エより

ブロック化
このように，パズルのピースみたいにすることをブロック化と呼ぶよ。

上記条件と条件アに当てはまるのは次の2つの場合となる。

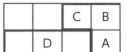

この時点で選択肢を検討すればよい。

いずれも異なった年齢であるA〜Fの6人について次のことがわかっているとき，確実にいえるのはどれか。　【国家一般職】

- 6人が年齢順に並んだとき，隣り合う者との年齢差はそれぞれ異なり，その値は2，3，4，5，6のいずれかであった。
- Aは最も年長で40歳であり，Cは最も年少で20歳であった。
- AとAの次に年齢の高い者との年齢差は6歳であった。
- AとFの年齢差とCとDの年齢差は同じであり，DとFの年齢差は4歳であった。
- BとEの年齢差の値はBとCの年齢差の値の2倍未満であった。
- EはDとFより年上であった。

1　BとCの年齢差は5歳であった。

2　DとEの年齢差は6歳であった。

3　EとFの年齢差は2歳であった。

4　2番目に年齢が高いのはBであった。

5　3番目に年齢が高いのはFであった。

解説

STEP 1

5つ目と6つ目の条件からEはD，Fより年上で，BとEの年齢差はBとCの年齢差の値の2倍未満であるので，EはB，D，Fより年上である。

STEP 2

Aの次に年齢が高いのはEで，34歳である。AとCの年齢差が20歳で，AとFの年齢差とCとDの年齢差は同じであり，DとFの年齢差は4歳であることを考えると，(20＋4)÷2＝12より，Dが32歳でFが28歳の場合と，(20－4)÷2＝8より，Fが32歳でDが28歳の場合の2通りとなる。このどちらも，Bが25歳で条件を満たし，表Ⅰ，Ⅱのようになる。

以上から，**2**，**3**，**5**は確実とはいえず，**4**は誤りで，正答は**1**である。

表Ⅰ

	A	E	D	F	B	C
年齢	40	34	32	28	25	20
差		6	2	4	3	5

表Ⅱ

	A	E	F	D	B	C
年齢	40	34	32	28	25	20
差		6	2	4	3	5

もう1点GET ＋α 確定条件

いきなり場合分けをするのではなく，文章をしっかりと読み，隠れている確定条件を見つけよう。上の問題では，EはB，D，Fより年上であると気づけると解きやすい。

A～Eの5人は，あるデパートで，家具，洋服，時計，テレビ，ゲームのうち，それぞれ異なるものを1点ずつ買った。今，次のア～キのことがわかっているとき，確実にいえるのはどれか。

【特別区】

ア　デパートは，1階から5階までである。

イ　5人は，異なる階で買い物をした。

ウ　Aは，4階で買い物をした。

エ　Bは，Cが買い物をした階の1つ下の階で時計を買った。

オ　Dは，洋服を買った。

カ　テレビが売られているのは，3階である。

キ　ゲームが売られているのは，家具が売られている階より3つ上の階である。

1　時計が売られているのは，1階である。

2　Cは，テレビを買った。

3　家具が売られているのは，2階である。

4　Eは，ゲームを買った。

5　ゲームが売られているのは，5階である。

解説

STEP 1

ア〜キの条件をまとめると表Iのようになる。また，ブロック化できるものも図Iのようにしておく。

表I

	人	買った物
5階		
4階	A	
3階		テレビ
2階		
1階		

図1

C	
B	時計

ゲーム

D	洋服

家具

STEP 2

エの条件はCが3階の場合と2階の場合で場合わけすることができるが，Cが2階の場合はうまく条件を当てはめることができず，Cは3階となり，表IIのように確定する。

表II

	人	買った物
5階	D	洋服
4階	A	ゲーム
3階	C	テレビ
2階	B	時計
1階	E	家具

　図のような８つの部屋があるホテルに，Ａ〜Ｆの６人が１つの部屋につき１人ずつ宿泊しており，２つの部屋は空室である。次のことがわかっているとき，確実にいえるのはどれか。　【国家一般職】

- Ａの部屋の隣には，空室が少なくとも１つある。また，Ｂの部屋の隣にも，空室が少なくとも１つある。
- Ａの部屋と廊下を挟んで真向かいにある部屋の隣は，Ｄの部屋である。
- Ｂの部屋と廊下を挟んで真向かいにある部屋は，Ｅの部屋である。
- Ｄの部屋と廊下を挟んで真向かいにある部屋は空室である。
- Ｃの部屋とＥの部屋は，それぞれ５号室と７号室または７号室と５号室である。

1　１号室はＢの部屋である。

2　２号室は空室である。

3　３号室はＡの部屋である。

4　６号室はＤの部屋である。

5　８号室は空室である。

解説

STEP 1

まず，B，C，Eの部屋についての関係を考えると，図Ⅰ－1，図Ⅱ－1の2通りとなる。

STEP 2

図Ⅰ－1と図Ⅱ－1にA，Dの部屋についての関係を加え，空室を×とし図にすると，図Ⅰについては図Ⅰ－2，図Ⅱについては図Ⅱ－2と図Ⅱ－3の2通りとなる。

図Ⅰ－2および図Ⅱ－2では，Dが6号室で2号室が空室（×），4号室と8号室のうちの一方がF，他方が空室（×）となる。図Ⅱ－3では，Dが8号室，Fが6号室で，2号室および4号室が空室（×）である。

以上から，**1**，**3**，**4**，**5**は確実とはいえず，正答は**2**である。

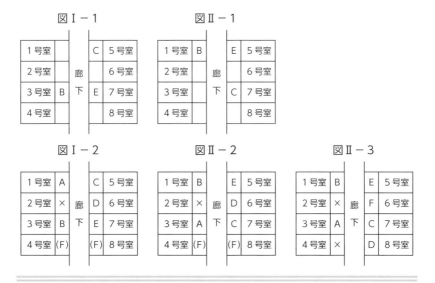

図Ⅰ－1

1号室			C	5号室
2号室		廊		6号室
3号室	B	下	E	7号室
4号室				8号室

図Ⅱ－1

1号室	B		E	5号室
2号室		廊		6号室
3号室		下	C	7号室
4号室				8号室

図Ⅰ－2

1号室	A		C	5号室
2号室	×	廊	D	6号室
3号室	B	下	E	7号室
4号室	(F)		(F)	8号室

図Ⅱ－2

1号室	B		E	5号室
2号室	×	廊	D	6号室
3号室	A	下	C	7号室
4号室	(F)		(F)	8号室

図Ⅱ－3

1号室	B		E	5号室
2号室	×	廊	F	6号室
3号室	A	下	C	7号室
4号室	×		D	8号室

37 割合

ランク A

① 割合

（1）歩合

「3割2分」のように，**割，分，厘**などを使って表す割合を歩合という。

割→小数第1位　　分→小数第2位　　厘→小数第3位　と変換する。

（2）百分率

「37%」のように%を使って表す割合。

0.37→37%　のように，**小数点を左に2つ移動**させて表す。

歩合	5割	2割5分	1割3分	1割2分5厘
百分率	50%	25%	13%	12.5%
小数	0.5	0.25	0.13	0.125
分数	$\dfrac{1}{2}$	$\dfrac{1}{4}$	$\dfrac{13}{100}$	$\dfrac{1}{8}$

② 濃度算

$$\text{濃度} = \frac{\text{溶質の重さ}}{\text{全体の重さ}} \times 100 \qquad \text{溶質の重さ} = \text{全体の重さ} \times \frac{\text{濃度}}{100}$$

例題 濃度6%の食塩水300gと濃度10%の食塩水100gを混ぜると濃度は何%になるか。

溶質の重さ（食塩の重さ）は　$300〔g〕×\dfrac{6}{100}+100〔g〕×\dfrac{10}{100}=28〔g〕$

となる。全体の重さは300g＋100g＝400gなので求める濃度は，

$\dfrac{28}{400}×100=7$

A. 7 %

_{ここだけ}
③ てんびん算

濃度４％の食塩水200gと濃度９％の食塩水300gを混ぜたときの濃度 x は右のような図で考えることができる。

ここで，$(9-x)×300=(x-4)×200$ という等式が成立し，$x=7$ とすぐに求められる。溶質の重さの計算や複雑な濃度の計算が必要ないので，ぜひマスターしておこう。

＼ 知って 得する！ ／　

複雑な問題になってくると「蒸発」や「濃縮」という単語が出てくることがある。いずれも水分だけがなくなる現象のことである。

_{ここだけ}
④ 利益算

・定価＝原価×（1＋利益の割合）

・売価＝定価×（1－割引率）

・利益＝売値－原価

例題　原価400円の商品に25％の利益を見込んで定価をつけたが売れなかったため，１割引きで販売したところ，売れた。利益はいくらか。

定価：$400×(1+0.25)=500$　　売価：$500×(1-0.1)=450$

利益：$450-400=50$

A. 50円

　ある商品を200個仕入れ，５割の利益を見込んで定価をつけたが，１個も売れなかった。

そこで，定価の２割引きとしたところ，200個すべてが売れ，利益総額は16,400円となった。この商品１個当たりの仕入れ値はいくらか。　　　　　　　　　　　　　　　　　　　　　　　　　　【地方初級】

1　410円

2　480円

3　550円

4　620円

5　690円

解説

STEP 1

商品1個の仕入れ値をxとすると，200個仕入れた場合の仕入れ総額は$200x$円である。

これに5割の利益を見込んで定価をつけた場合，200個全部が売れた場合の売上総額は，$200x \times (1+0.5)=300x$となる。

STEP 2

STEP 1の$300x$をすべて2割引きで売ったのだから，その売上総額は，$300x \times (1-0.2)=240x$となり，ここから利益を考えると，

$$240x - 200x = 16400$$
$$40x = 16400$$
$$x = 410$$

となり，この商品1個当たりの仕入れ値は410円とわかる。

問答

30%の利益を見込んで定価をつけたものの価格が260円であった。原価はいくらか。

正解 200円　原価をxと仮定すると，$x \times (1+0.3)=260$　$x=200$となる。

　ある診療所にはＡとＢの２つの水槽があり，メダカ，エビ，グッピーの３種類の生き物が飼育されている。次のことがわかっているとき，Ａの水槽で飼育されている生き物の数とＢの水槽で飼育されている生き物の数の比はいくらか。　【国家一般職】

・Ａの水槽で飼育されている生き物の数の $\dfrac{3}{4}$ はメダカであり，エビはそのメダカの $\dfrac{1}{5}$ の数であり，グッピーは２匹である。

・Ｂの水槽で飼育されている生き物の数の $\dfrac{2}{3}$ はメダカであり，グッピーはそのメダカの $\dfrac{1}{5}$ の数であり，エビは６匹である。

	Ａの水槽	：	Ｂの水槽
1	1	：	1
2	1	：	2
3	2	：	1
4	2	：	3
5	2	：	5

= 解説 ==

STEP 1

Aの水槽で飼育されている生き物の数をxとすると，

$$x = \frac{3}{4}x + \frac{3}{4}x \times \frac{1}{5} + 2$$

$$x = \frac{3}{4}x + \frac{3}{20}x + 2$$

$$x = \frac{15}{20}x + \frac{3}{20}x + 2$$

$$\frac{1}{10}x = 2$$

$x = 20$より，Aの水槽で飼育されている生き物の数は20匹である。

STEP 2

Bの水槽で飼育されている生き物の数をyとすると，

$$y = \frac{2}{3}y + \frac{2}{3}y \times \frac{1}{5} + 6$$

$$y = \frac{2}{3}y + \frac{2}{15}y + 6$$

$$y = \frac{10}{15}y + \frac{2}{15}y + 6$$

$$\frac{1}{5}y = 6$$

$y = 30$より，Bの水槽で飼育されている生き物の数は30匹である。

これより，A：B＝20：30＝2：3であり，正答は **4** である。

🍭もう1点GET
＋α **割合**

　割合の問題は今回の問題のように，**全体数を文字で置いて**解くパターンが多い。

　　　全体×割合＝一部

に当てはめて式を立てる。

　ある企業はＡとＢの２部門から構成されており，企業全体の売上げは，２部門の売上げの合計である。Ａ部門の商品ａは，企業全体の売上げの40％を占め，Ａ部門の売上げの60％を占めている。また，Ｂ部門の商品ｂは，企業全体の売上げの20％を占めている。このとき，商品ｂはＢ部門の売上げの何％を占めているか。

【国家一般職】

1 　30%

2 　40%

3 　50%

4 　60%

5 　70%

解説

STEP 1

A部門の商品 a は企業全体の売上げの40% $= \dfrac{2}{5}$ を占め，これが A 部門の売上げ

の60% $= \dfrac{3}{5}$ だから，

$\dfrac{2}{5} \div \dfrac{3}{5} = \dfrac{2}{3}$ より，A部門の売上げは企業全体の売上げの $\dfrac{2}{3}$ を占めている。

STEP 2

B部門の売上げは企業全体の売上げの $\dfrac{1}{3}$ である。

B部門の商品 b は企業全体の売上げの20% $= \dfrac{1}{5}$ を占めているのだから，商品 b

がB部門の売上げに占める割合は，

$\dfrac{1}{5} \div \dfrac{1}{3} = \dfrac{3}{5} = 60\%$ となり，正答は **4** である。

もう1点GET

＋@ ## 売上げ

　問題文で全体に対する割合しか示されていない場合は，全体の売上げを100と仮定しても解くことができる。

　上の問題で，全体の売上げが100なら，商品 a の売上げは40となり，それが A 部門の売上げの60%を占めているので，

A×0.6＝40　A $= \dfrac{200}{3}$

Bの売上げは $100 - \dfrac{200}{3} = \dfrac{100}{3}$ となる。

商品 b の売上げは20なので，$20 \div \dfrac{100}{3} = \dfrac{60}{100} = 60\%$ となる。

❸❽ 倍数と約数

ランク
Ⓐ

超約 ここだけ押さえよう！

① 素因数分解

ある数を，素数（1とその数自身しか約数を持たない数）の積で表すこと。
たとえば48なら，$48＝2^4×3$のように指数を使って表す。

（1）割り切れる数の特徴

ある数がどの数字で割り切れるかには以下のような特徴がある。

割り切れる数	特徴
2	1の位が偶数
3	各位の和が3の倍数
4	下2ケタが4の倍数
5	1の位が0か5
6	2で割り切れ，かつ，3で割り切れる
7	10,507のようにコンマで区切った際の差が7の倍数 （507－10＝497⇒497＝7×71）
9	各位の和が9の倍数
11	1392512のように，一の位から左に向かって（偶数番目の数の和）－（奇数番目の数の和）が11の倍数　（1＋9＋5＋2）－（3＋2＋1）＝11

（2）最大公約数・最小公倍数

2つの数の最大公約数と最小公倍数は素因数分解をして求める。たとえ

ば，36と96なら，おのおのを素因数分解すると，

$36 = 2^2 \times 3^2$

$96 = 2^5 \times 3^1$ 　となり，

最大公約数は**共通して持っている素因数** →$2^2 \times 3^1 = 12$

最小公倍数は**登場している素因数の最大値**→$2^5 \times 3^2 = 288$

<ruby>②<rt>ここだけ</rt></ruby> 約数の個数

ある数Aを素因数分解すると，$a^m b^n c^l$ と表せるとき，
Aの約数の個数は$(m+1) \times (n+1) \times (l+1)$個となる。

> 素因数分解をして出てきた指数＋1の積と覚えよう！

<ruby>③<rt>ここだけ</rt></ruby> 約数の総和

　たとえば48なら，まず素因数分解をして

$48 = 2^4 \times 3^1$ 　になり，約数の総和は

$(2^0 + 2^1 + 2^2 + 2^3 + 2^4) \times (3^0 + 3^1) = (1+2+4+8+16) \times (1+3) = 31 \times 4 = 124$

と計算することができる。

> それまでの指数の和の積と覚えよう！

<ruby>④<rt>ここだけ</rt></ruby> 剰余の関係

（1）余りが等しい場合

→**最小公倍数×n＋余りの数**で表すことができる。

例題 3，5，6のどれで割っても1余る数はどのように表されるか。

　→3，5，6の最小公倍数は30。よって，$30n + 1$と表す。

A.$30n + 1$

（2）差が等しい場合

→**最小公倍数×n－余りとの差**で表すことができる。

6で割っても，7で割っても，8で割っても1余る最小の自然数を考えたとき，この自然数の各ケタの数の和はいくらか。【地方初級】

1   10

2   12

3   14

4   16

5   18

6で割っても，7で割っても，8で割っても1余る数から1を引けば，6でも，7でも，8でも割り切れる数，つまり，「6，7，8の公倍数」となる。

6で割っても，7で割っても，8で割っても1余る最小の自然数は，「6，7，8の最小公倍数＋1」である。

6と8を素因数分解すると6＝2×3，8＝2×2×2であり，7は素数だから，6，7，8の最小公倍数は，2×2×2×3×7＝168である。

したがって6で割っても，7で割っても，8で割っても1余る最小の自然数は，168＋1＝169となる。

169の各ケタの和は，1＋6＋9＝16

もう1点GET
＋α

6と7と8の最大公約数，最小公倍数は以下のように求めることもできる。**すだれ算**

連除法とも呼び，2つでも共通して割れる数があれば割り続け，除数と商をL字に掛け算すると最小公倍数がわかる。

$$
\begin{array}{c|ccc}
2 & 6 & 7 & 8 \\
\hline
 & 3 & 7 & 4
\end{array}
$$
←「互いに素」の状態で終了

この場合の最小公倍数は2×3×7×4＝168
よって，6で割っても，7で割っても，
8で割っても1余る最小の自然数は
168＋1＝169

15
章
数的推理

38
倍数と約数

2000の約数の個数として，正しいのはどれか。　　　　【東京都】

1　　19個

2　　20個

3　　21個

4　　22個

5　　23個

解説

STEP 1

2000を素因数分解すると

$2000 = 2^4 \times 5^3$

となる。

STEP 2

約数の個数は，各素因数の指数に 1 を足したものの積で求めることができるので，式は次のようになる。

$(4 + 1) \times (3 + 1) = 20$

よって約数の個数は20個である。

整数 p を整数 q で割ると，商が7で余りが1となる。また，整数 p を整数 q の2倍の整数で割ると，商が3で余りが4となる。このとき，$p+q$ の値はいくらか。 【地方初級】

1 25

2 26

3 27

4 28

5 29

解説

p を q で割ると1余るので，$p \div q = 7 \cdots 1$ より，$p = 7q + 1$，

$p \div 2q = 3 \cdots 4$ より，$p = 6q + 4$ となる。

ここから，$7q + 1 = 6q + 4$，$q = 3$ である。

そして，$p = 7 \times 3 + 1 = 22$ となる。

したがって，$p + q = 22 + 3 = 25$ であり，正答は **1** である。

もう1点GET ÷α

$p \div q = 7 \cdots 1$ を $p = 7q + 1$ と変形したように，

割られる数＝割る数×商＋余りと表して解くとよい。

1問1答

8で割ると5余り，12で割ると9余る数はどのように表されるか。

正解 $24n - 3$ 8と12の最小公倍数は24で，割る数－余り＝3 が共通している。

39 速さ

超約 ここだけ押さえよう！

① 距離・速さ・時間

(速さ) = (距離) ÷ (時間)

(時間) = (距離) ÷ (速さ)

(距離) = (速さ) × (時間)

例題 時速36kmは秒速何mか。

時速36kmは，1時間(60分)で36km＝36,000m，3,600秒で36,000m
進むことになるので，36000m÷3600秒＝10〔m/秒〕となる。

> A.秒速10m

1時間→60分→3,600秒，1分→60秒，1km→1,000mのように単位をそ
ろえてから計算するとよい。

\ 知って**得**する！ /

> km/時からm/秒の変換は，電車の問題などでよく使用する。その際は
> **÷3.6**をすると一気に変換できると覚えておこう。
> たとえば，時速36kmなら，36km/h÷3.6＝10〔m/秒〕と変換できる。

② 旅人算

・2つのものが同方向に進んで(一方が片方を)追い越すとき→速さの差

・2つのものが逆方向に進んですれ違うとき→速さの和

例題 Aの速さを秒速3m，Bの速さを秒速5mとする。
(1)直線上のコースをAが出発して10秒後にBが同じ地点から同方向に出発する。何秒後にBはAに追いつくか。
(2)800mの直線のコースをAとBがそれぞれ両端から逆方向に出発すると，2人が出会うのは何秒後か。

(1) $30 \div (5-3) = 15$

〉 **A.15秒後**

(2) $800 \div (5+3) = 100$

〉 **A.100秒後**

③ 通過算

・電車がトンネルに先頭が入ってから完全に出るまで
　→移動距離はトンネルの長さ＋電車の長さ
・電車がトンネルに完全に入ってから先頭が出るまで
　→移動距離はトンネルの長さ－電車の長さ

④ 流水算

・流れに沿うとき　→速さの和
・流れに逆らうとき→速さの差

例題 1,000mの川があり，船の速さは秒速5m，川の流速は秒速3mとする。
(1)上流から下流に向かって船が下るとき，何秒かかるか。
(2)下流から上流に向かって船が上るとき，何秒かかるか。

(1) $1000 \div (5+3) = 125$

〉 **A.125秒**

(2) $1000 \div (5-3) = 500$

〉 **A.500秒**

　小学生のＡ君は，毎日学校まで時速3.6kmの速さで通っている。ある日，寝坊したＡ君は，普段より５分遅く家を出て時速4.2kmの速さで学校に向かったところ，学校にはいつもと同じ時刻に着いた。Ａ君の家から学校までの距離として，正しいのはどれか。

【地方初級】

1　2.1km

2　2.4km

3　2.7km

4　3.0km

5　3.3km

正答 1

解説

STEP 1

同じ距離を進むのにかかる時間の比は，速さの比と逆比の関係となる。

普段のＡ君とこの日のＡ君の速さの比は，3.6：4.2＝36：42＝6：7だから，かかった時間の比は7：6である。

この7：6の差である1が5分に相当するので，5×7＝35

STEP 2

5×6＝30より，

普段は35分だが，この日は30分かかって学校へ行ったことがわかる。

時速4.2kmで30分$\left(=\dfrac{1}{2}時間\right)$かかるのだから，

Ａ君の家から学校までの距離は$4.2×\dfrac{1}{2}=2.1$〔km〕

15 章 数的推理

39 速さ

---

1 問 1 答

Ａは50m/分で泳ぎ，Ｂは30m/分で泳ぐ。Ａが30分かかって泳ぐ距離をＢは何分で泳ぐか。

正解 50分　ＡとＢの速さの比は50：30＝5：3　かかる時間の比はその逆比で3：5となる。

　1周400mのトラックを，Aは時計回りに，Bは反時計回りに，同じ地点から同時にスタートしたところ，Bが150m進んだ地点でAと出会った。このトラックを，A，Bが同じ方向に同じ地点から同時にスタートした場合，BがAに最初に追い越されるまでに，Bは何m進むことになるか。ただし，A，Bはそれぞれ一定の速さで進むものとする。　　　　　　　　　　【地方初級】

1　550m

2　600m

3　650m

4　700m

5　750m

解説

STEP 1

Aは時計回りに，Bは反時計回りに，同じ地点から同時にスタートして，Bが150m進んだ地点でAと出会ったのだから，Aは250（＝400−150）m進んだことになる。

STEP 2

A，Bが同じ方向に同じ地点から同時にスタートした場合，AがBより400m（＝トラック1周分）余計に進めば，Bを追い越すことになる。Bが150m進む間に，Aは250m進むので，その差は100mである。

STEP 3

Bが150m進むごとに，AはBより100m余計に進むのだから，AがBより400m余計に進むのはその4倍となる。したがって，150×4＝600より，Bが600m進むと，AはBより400m余計に進むことになり，Bを初めて追い越す。

以上から，正答は **2** である。

もう1点GET

＋α　円形のコース

円形のコースで速いほうが遅いほうに追いつく場合

　　速いほうの移動距離−遅いほうの移動距離＝コース1周分が成り立つ。

　　速いほうが **1周余分に走って**，遅いほうの **背中をタッチした** と考える。

図のような円形のコースがあり，Aはa地点から時計回りに，Bはa地点から反時計回りにそれぞれ一定の速さで歩くこととした。まずBが先に出発し，その2分後にAが出発したところ，Aが出発して1分後にb地点で，2人は初めてすれ違った。Aは30m/分の速さで歩いており，b地点ですれ違った時点で，AはBが歩いた距離の0.2倍の距離を歩いたことがわかっているとき，次に2人がすれ違うのはb地点ですれ違ってから何分何秒後か。　【国家一般職】

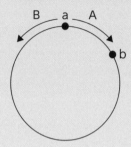

1　2分10秒後

2　2分15秒後

3　2分20秒後

4　2分25秒後

5　2分30秒後

解説

STEP 1
Aはa地点を出発して1分後にb地点でBとすれ違っており，Aの歩く速さは30m/分だから，Aが歩いたのは30mである。

STEP 2
これはBが歩いた距離の0.2倍なので，BがAとb地点ですれ違うまでに歩いた距離は150m（＝30÷0.2）である。Bは3分間で150m歩いているので，Bが歩く速さは50m/分（＝150÷3）となる。

STEP 3
この円形のコースは1周180m（＝150＋30）であり，AとBがb地点ですれ違ってから，次にすれ違うまでにかかる時間は，$180÷(30+50)＝\dfrac{9}{4}$，$\dfrac{9}{4}＝2$分15秒であり，正答は **2** である。

15
章 数的推理

39
速さ

① 問 ① 答

$\dfrac{17}{4}$分は何分何秒か。

正解 4分15秒　$\dfrac{17}{4}×60＝255$秒　255秒⇒4分15秒

帯分数で求めてもよい。$\dfrac{17}{4}＝\dfrac{16}{4}+\dfrac{1}{4}$分

$＝4\dfrac{1}{4}$分⇒4分15秒

8kmのトンネルに，先頭が入り始めてから最後部が出口を通過するまで2分かかる新幹線がある。この新幹線が，5.9kmのトンネルに先頭が入り始めてから最後部が出口を通過するまで1分30秒かかるとき，この新幹線の速さはいくらか。　　　　【地方初級】

1　3.8km/分

2　4.0km/分

3　4.2km/分

4　4.4km/分

5　4.6km/分

解説

STEP 1

新幹線の長さを x とすると，8kmのトンネルに先頭が入り始めてから最後部が出口を通過するまでに進む距離は $(8+x)$，5.9kmのトンネルに先頭が入り始めてから最後部が出口を通過するまでに進む距離は $(5.9+x)$ である。

STEP 2

$(8+x)$ と $(5.9+x)$ との差は，$(8+x)-(5.9+x)=2.1$ であるが，この2.1kmにかかる時間は2分と1分30秒との差である30秒となる。

30秒で2.1km進むのだから，1分間では4.2kmであり，その速さは4.2km/分である。

🍭 もう1点GET
+α　通過算

　車と電車がすれ違うパターンの問題は「車の長さは考えなくてよい」と記されていることが多い。よって両者がすれ違う際の移動距離は**電車の長さのみとなる**。

①問①答

長さ300m，速さ180km/時の新幹線が4kmあるトンネル内に全体が隠れている時間は何分何秒か。

正解▶1分14秒

速さは180÷3.6＝50m/秒　トンネル内に全体が隠れているときの移動距離は4000−300＝3700mなので，3700÷50＝74秒⇒1分14秒

16章 資料解釈

④⓪ 割合

ランク

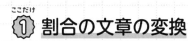

① 割合の文章の変換

（1）「Aの x ％」

$$A \times \frac{x}{100}$$

「Aの x 割」→ $A \times \frac{x}{10}$ のように，文章中の「の」の部分はかけ算になる。

（2）「1人当たりの面積」

面積÷人数

のように，「○○当たりの△△」は，「当たり」の後を前のもので割る。

（3）「1に対する2の比率」

2÷1＝2→2倍，200%，…

のように，「○○に対する△△の比率」は，「対する」の後を前のもので割る。

② 平均

　平均を求める選択肢は頻出であるが，その求め方について，**ただ単に合計÷個数で求めたら**，そもそもの値が大きいことが多いため，時間がかかってしまう。

　平均の問題は「平均は○○より大きいか」などと，一定の基準からの大小を比べる問題が多い。その際は問題で提示されている「○○」を<u>仮平均</u>として求める。

222

例題 以下の表は，A～F それぞれの身長である。平均は175より大きいか。

A	B	C	D	E	F
169	172	173	176	179	182

→今回聞かれている175（仮平均）との差を考える。

	A	B	C	D	E	F
身長	169	172	173	176	179	182
仮平均	175	175	175	175	175	175
誤差	−6	−3	−2	+1	+4	+7

この誤差の合計は，−6＋（−3）＋（−2）＋1＋4＋7＝+1

仮平均との誤差の合計が，

正の数（＋）→実際の平均は仮平均より <u>大きい</u>

±0　　　　　→<u>実際の平均＝仮平均</u>

負の数（−）→実際の平均は仮平均より <u>小さい</u>

と考えることができる。

> A.175より大きい

16章 資料解釈

40 割合

＼知って **得** する！／

割合の計算に関して，素直に計算するのではなく，以下のように変換して計算するほうが，計算が速くなる。

❶ <u>50%→÷2として考える。</u>

800の50%→ <u>800×0.5ではなく</u>，800÷2＝400と計算する。

❷ <u>25%→÷4として考える。</u>

800の25%→ <u>800×0.25ではなく</u>，800÷4＝200と計算する。

❸ <u>16%→÷6として考える</u>（概算）。

600の16%→ <u>600×0.16ではなく</u>，600÷6≒100と計算する。

次の表から確実にいえるのはどれか。

世界の新造船竣工量の推移

区　　分		2014年	2015	2016	2017	2018
合計（万総トン）		6,462	6,757	6,642	6,576	5,783
構成比（％）	計	100.0	100.0	100.0	100.0	100.0
	日　　本	20.8	19.3	20.0	19.9	25.1
	韓　　国	35.0	34.4	37.7	34.1	24.8
	中　　国	35.1	37.2	33.7	36.2	40.0
	欧　　州	2.0	1.5	2.3	2.5	3.2
	そ　の　他	7.1	7.6	6.3	7.3	6.9

(注) 100総トン以上の船舶を対象　　　　　　　　　　　【地方初級】

---

1 2016年から2018年までの各年のうち，日本の新造船竣工量と欧州の新造船竣工量との差が最も小さいのは，2018年である。

---

2 2016年の韓国の新造船竣工量の対前年増加率は，2015年のそれより大きい。

---

3 2018年において，韓国の新造船竣工量の対前年減少量は，中国の新造船竣工量のそれの10倍より小さい。

---

4 2014年から2016年までの3年における中国の新造船竣工量の1年当たりの平均は，2,300万総トンを下回っている。

---

5 2016年の欧州の新造船竣工量を100としたときの2018年のそれの指数は，130を上回っている。

❶ ✕　2018年の場合，日本の新造船竣工量と欧州の新造船竣工量との差は，5783×（0.251－0.032）≒1266である。これに対し，2017年の場合は，6576×（0.199－0.025）≒1144であり，2018年より2017年のほうが，日本の新造船竣工量と欧州の新造船竣工量との差は小さい。

❷ 〇　2015年の場合，（6757×0.344）÷（6462×0.350）≒1.028，2016年は，（6642×0.377）÷（6757×0.344）≒1.077であり，2015年の対前年増加率は2.8％，2016年の対前年増加率は7.7％となり，2016年の韓国の新造船竣工量の対前年増加率は，2015年のそれより大きい。

❸ ✕　2018年における韓国の新造船竣工量の対前年減少量は，6576×0.341－5783×0.248≒808，中国の新造船竣工量の対前年減少量は，6576×0.362－5783×0.400≒67である。67×10＜808より，2018年における韓国の新造船竣工量の対前年減少量は，中国の新造船竣工量のそれの10倍より大きい。

❹ ✕　（6462×0.351＋6757×0.372＋6642×0.337）÷3≒（2268＋2514＋2238）÷3＝7020÷3＝2340より，その平均は2,300万総トンを上回っている。

❺ ✕　（5783×0.032）÷（6642×0.023）＝185÷153≒1.209より，その指数は約121であり，130を下回っている。

16章　資料解釈

40 割合

225

41 実数

ランク A

① 概数

　資料解釈の問題を解く際に大切なことは，「細かい計算をしすぎない」こと。多くの問題では，「有効数字3ケタ（4ケタ目を四捨五入）」で計算することで正答を導ける。

たとえば，17,768,213という数字が表中にあったとすると，17,768,213→17,800,000として計算する。

> 「資料を見て解釈する問題」ということを意識しよう！

② 指数

　資料解釈の問題の中で出てくる「指数」という言葉は，梅雨の時期に使われる「不快指数」のように，％と同じ意味で使われる。

例：120を指数100とすると，144は指数120

　　→120を100％と置くと，144は144÷120＝1.2＝120％→指数120

③ 対前年○○率

　資料解釈の問題の中で出てくる「対前年○○率（○○には増加か減少が入る）」は次の式で求められる。

$$→\frac{大きい値－小さい値}{前年}$$

例題 2020年の身長が148.2cmで，2021年の身長が152.8cmだとすると，対前年増加率は何％か。

$$\rightarrow \quad \frac{153-148}{148} = \frac{5}{148} = 0.0337\cdots \fallingdotseq \quad 3.4\%$$ 概算 A.3.4%

例題 2020年の体重が49.8kgで，2021年の体重が45.2kgだとすると，対前年減少率は何%か。

$$\rightarrow \quad \frac{49.8-45.2}{49.8} = \frac{4.6}{49.8} = 0.0923\cdots \fallingdotseq \quad 9.2\%$$ A.9.2%

_{ここだけ} ④ 計算のコツ

概数で計算する際，以下のようにやり方を覚えておくと計算が簡単になる。

×5の式 元の数字を半分にして0を1個つける	40×5＝200の場合 40÷2＝20 に0を1個つけて200
×1.5の式 元の数字にその半分を足す	246×1.5＝369の場合 246＋123＝369
×0.9の式 元の数字から小数点を1つ左にずらしたものを引く	420×0.9＝378の場合 420の少数点を1つ左にずらすと42なので，420−42＝378
分数の大小 分母は大きければ大きいほど，分子は小さければ小さいほどその値は小さくなる	$\frac{13}{331}$と$\frac{11}{339}$の大小を比べる場合$\frac{11}{339}$のほうが分母が大きく，分子が小さいので，値は小さい

「×5の式」の応用

この方法だと25倍の計算も速くできるよ。

16×25＝400の場合

16×5×5と分解し，16を2回半分にする(16→8→4)→0を2個つけて400

次の表から確実にいえるのはどれか。 【特別区】

主要原産国別のボトルワインの国別輸入数量の推移

(単位　kL)

国名	2016年	2017	2018	2019	2020
チリ	50,535	55,519	51,416	47,213	49,101
フランス	45,711	45,523	42,203	47,118	45,254
イタリア	32,093	33,590	30,237	35,497	28,364
スペイン	19,403	19,761	17,521	20,363	18,679
アメリカ	6,572	6,876	7,175	7,845	6,394

1　2017年におけるチリからのボトルワインの輸入数量に対するアメリカからのボトルワインの輸入数量の比率は，前年におけるそれを上回っている。

2　2019年において，イタリアからのボトルワインの輸入数量の対前年増加率は，スペインからのボトルワインの輸入数量のそれより大きい。

3　2020年のフランスからのボトルワインの輸入数量を100としたときの2019年のそれの指数は，105を上回っている。

4　表中の各年とも，5か国からのボトルワインの輸入数量の合計に占めるイタリアからのボトルワインの輸入数量の割合は，20％を上回っている。

5　表中の各年とも，スペインからのボトルワインの輸入数量は，アメリカからのボトルワインの輸入数量の2.5倍を上回っている。

解説

① ✕　2017年の比率は概算で6880÷55500≒0.124であり，2016年の比率は6570÷50500≒0.130のため，2017年は前年を上回っていない。

② 〇　2019年のイタリアの対前年増加率は$\dfrac{35500-30200}{30200}=\dfrac{3500}{30200}≒$ 0.175となる。また，スペインの対前年増加率は$\dfrac{20400-17500}{17500}=\dfrac{2900}{17500}≒0.166$となり，イタリアはスペインの値より大きい。

③ ✕　2020年のフランスの値を指数100とすると，2019年の値は47100÷45300≒1.04となり，指数105を超えていない。

④ ✕　2020年の合計は約147890となり，その20％は29578となるため，イタリアは上回っていない。

⑤ ✕　2018年はアメリカの2.5倍は17937.5となり，スペインは下回っている。

次にやる本 ガイド

初級スーパー 過去問ゼミ シリーズ

高卒程度の公務員試験に対応した過去問のベスト・セレクションです。近年の出題傾向を各試験別に徹底的に分析しました。わかりやすく，丁寧な解説で効率的に学習を進められます。社会人試験にも対応しています。

シリーズ

 科目一覧　社会科学，人文科学，自然科学，数的推理，判断推理，文章理解・資料解釈，適性試験

自然科学, 人文科学, 社会科学

知識インプットのための「要点のまとめ」で覚えなければいけないことが多い一般知識分野でも効率的に学習できます。

判断推理, 数的推理, 文章理解・資料解釈

近年の出題傾向をもとに選び抜かれた過去問が掲載されています。良問を解くことで実力が身についていきます。

適性試験

適性試験に特化した試験対策本です。素早く, 正確にこなすために, 準備しておきたい内容です。

らくらく総まとめシリーズ

初級公務員，社会人試験向けの要点整理集です。よく出るポイントを押さえた内容なので，すきま時間を使って効率よく中学・高校の知識をインプットできます。

社会／人文／自然科学は，重要語句が隠れる赤シートで暗記もらくらくできます。

シリーズ

社会科学

人文科学

自然科学

判断・数的推理

面接・作文

科目一覧 社会科学，人文科学，自然科学，数的・判断推理，面接・作文

高卒程度公務員
完全攻略問題集【年度版】
/ 適性試験問題集

　豊富な練習問題を収録しています。必要なポイントが1冊で身につく総合問題集です。試験直前期の実力をチェックするのにも役立ちます。

判断推理 /
数的推理がわかる！
新・解法の玉手箱

　算数・数学を忘れている受験者でも取り組めるザセツ知らずの親切問題集です。他の問題集ですぐギブアップしてしまったような受験生でも，算数・数学の「カン」を取り戻しつつ，ひととおり学べるようになっています。

科目一覧 判断推理，数的推理

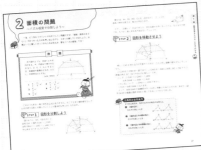

合格の 350 シリーズ
【年度版】

　前年度の問題に加えて，近年の問題から選りすぐった過去問を収録しています。とにかくたくさん解きたい人にピッタリの過去問題集です。問題・解説をセットで収録しているので，反復学習しやすい構成になっています。出題傾向＆レベル把握，実力試しにも必携です。

　過去問を解いたら，すぐに答え合わせができるので，サクサク学習が進みます。

一覧　国家一般職［高卒・社会人］教養試験/地方初級教養試験/高卒警察官 教養試験/大卒・高卒消防官 教養試験

寺本康之の
面接回答大全【年度版】

公務員試験で強まる「人物重視」の傾向に対応した，実用性の高い面接対策本です。面接カードの定番項目について，回答フレーム（シンプルな型，テンプレート）を使った簡単で再現可能性の高い手法を伝授。さらに，よく聞かれる質問＆回答例も豊富に収録しています。

採点官はココで決める！
シリーズ【年度版】

公務員試験であまたの受験生を見てきた元採点官が，「本当に受かるために必要なツボ」を教えます。少子化対策，防災対策などの定番テーマから，リカレント教育，DX，SDGsなどの旬なテーマまで，公務員試験ならではの視点で解説します。

 合格論文術，合格面接術

eラーニング
【公務員試験】高卒
[教養] 過去問700

近年出題された，高卒程度の国家公務員試験と地方公務員試験の過去問のうち，重要度の高い問題をセレクトして700問収録しています。スマートフォン・タブレット・PCなど，お好きなデジタルデバイスを使用して学習が可能です。

次にやる本ガイド

社会人におすすめ

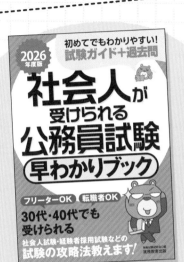

初めてでもわかりやすい！
試験ガイド＋過去問

2026年度版

社会人が受けられる公務員試験早わかりブック

フリーターOK　転職者OK

30代・40代でも受けられる

社会人試験・経験者採用試験などの
試験の攻略法教えます！

実務教育出版

社会人が受けられる公務員試験 早わかりブック【年度版】

　20代後半以降の，年齢が高めの社会人の方たちが受けられる公務員試験をひとまとめに紹介しているだけではなく，教養試験・適性試験の対策も盛り込みました。民間企業からの転職を考えている人，就活に失敗しフリーター生活をしている人など，今の生活に不満・不安を感じ，安定した公務員になりたい社会人向けです。

公務員試験で出る SPI・SCOA [早わかり] 問題集

　地方公務員試験において，SPIやSCOAが使われるケースが増えてきています。本書では，SPI・SCOAの対策だけでなく，従来型公務員試験と比較しての対策，民間就職志望者が公務員試験を受けるためのコツなどをまとめています。

資格試験研究会◎編
柳本新二◎執筆

改訂版

公務員試験で出る SPI・SCOA 早わかり 問題集

実務教育出版

公務員試験用の SPI・SCOA対策 決定版

テストセンター　WEBテスト
性格検査 にも対応！

一般の公務員試験との違いや併願のコツを教えます！

公務員試験　採点官はココで決める！社会人・経験者の合格論文＆面接術【年度版】

　社会人・経験者採用試験のコアとなる「エントリーシート」「論文」「面接」を総合的に対策できるよう，元採点官がノウハウを教えます。学生受験者とは採点基準がどのくらい違うのか，何が求められているのかが，リアルにわかる内容です。

公務員試験　現職人事が書いた「面接試験・官庁訪問」／「自己PR・志望動機・提出書類」の本

　社会人試験で厳しく評価される「書類選考」「面接試験」に対応するシリーズです。現職の人事担当だから知っているノウハウがつまっています。

※画像は旧年度版のもの

著者

てらもとやすゆき
寺本康之

　本書の社会科学，人文科学，文章理解の執筆を担当。
　大学院生の頃から公務員試験の講師を始め，現在は全国生協学内講座，EX-STUDY，スタディングなどで教鞭をとる。法律系，行政系，小論文，面接など幅広い科目を担当。「公務員試験受験ジャーナル」（実務教育出版）にも多数の記事を執筆している。著書に『寺本康之の小論文バイブル』（エクシア出版），『わが子に公務員をすすめたい親の本』『公務員試験　寺本康之の面接回答大全』（ともに実務教育出版）など。

メッセージ

　現在の公務員試験は，昔と異なり「コスパ」「タイパ」さえ意識できれば十分合格可能です。本書では，近時の出題傾向を徹底的に分析し，本試験で問われる知識だけをギュギュっとまとめてみました。本書を使って，短期間でサクッと合格をめざしましょう。

まつおあつき
松尾敦基

　本書の自然科学，判断推理，数的推理，資料解釈の執筆を担当。
　中学・高校数学の教員免許を取得後，大手予備校の数学講師になり人気を集める。現在は大学で授業を行っており，わかりやすい説明と持ち前の熱意で，公務員試験に多数の合格者を輩出している。「公務員試験 受験ジャーナル」（実務教育出版）においても記事を執筆している。

メッセージ

　この一冊で読者の皆様が，公務員試験を最短で攻略できるように，あらゆる無駄をそぎ落とし，頻出単元ばかりを集めました。是非，この本で効率的に勉強していきましょう！

●本書の内容に関するお問合せについて

本書の内容に誤りと思われるところがありましたら，まずは小社ブックスサイト（books.jitsumu.co.jp）中の本書ページ内にある正誤表・訂正表をご確認ください。正誤表・訂正表がない場合や，正誤表・訂正表に該当箇所が掲載されていない場合は，書名，発行年月日，お客様のお名前・連絡先，該当箇所のページ番号と具体的な誤りの内容・理由等をご記入のうえ，郵便，FAX，メールにてお問合せください。

〒163-8671　東京都新宿区新宿1-1-12　実務教育出版　第二編集部問合せ窓口
FAX：03-5369-2237　　　E-mail：jitsumu_2hen@jitsumu.co.jp

【ご注意】
※電話でのお問合せは，一切受け付けておりません。
※内容の正誤以外のお問合せ（詳しい解説・受験指導のご要望等）には対応できません。

本文デザイン＆イラスト：熊アート
カバーデザイン：マツヤマ チヒロ

地方公務員

寺本康之の超約ゼミ　高卒・社会人試験　過去問題集［2026年度版］

2024年11月30日　初版第1刷発行　　　　　　　　　　　　　〈検印省略〉

著　者　寺本康之
　　　　松尾敦基
発行者　淺井　亨

発行所　株式会社 実務教育出版
　　　　〒163-8671　東京都新宿区新宿1-1-12
　　　　☎編集　03-3355-1812　　販売　03-3355-1951
　　　　振替　00160-0-78270
組　版　明昌堂
印　刷　文化カラー印刷
製　本　東京美術紙工